MARY FINOCCHIARO

REGENTS PUBLISHING COMPANY, INC.

Published by
Regents Publishing Company, Inc.
2 Park Avenue
New York, N.Y. 10016

Printed in the United States of America
ISBN 0-88345-261-8 *1-85*

NOTA DE AGRADECIMIENTO

Hago constar mi agradecimiento al equipo editorial de Regents Publishing Company por su inestimable colaboración: a Rachel Genero, a cargo del proyecto, a Dolores Prida y a Karen Davy.

Mis gracias también van al profesor Edilberto Marbán por sus sugerencias y contribución al éxito de esta obra.

M.F.

ÍNDICE DE MATERIAS

Hablemos español

TO THE TEACHER
purposes and principles

Today's language teaching programs emphasize the importance of helping the learner understand and speak the authentic word forms and patterns of the target language in appropriate social and cultural contexts. The continued development in the student of aural-oral competency is often considered a primary goal after reading and writing have been introduced. Indeed, a reasonable grasp of listening-speaking skills by the learner is deemed indispensable even in teaching programs in which reading and writing may be the principal aspects of the linguistic terminal behavior sought. This emphasis is rooted in observation and experimentation. Studies in the nature and function of language and in language acquisition have underscored the primacy of the understanding and speaking skills. There is evidence too that oral skills can facilitate the development of the learner's ability to read and write, particularly when the teacher emphasizes for the learner the ways in which the already familiar auditory signals can be transferred to the written symbols.

Dialogues in which individuals listen to a speaker and react, either by speaking themselves or by performing some action, are especially well-suited for practicing language in realistic communication situations. The time spoken about and reacted to may be the present, the past, or the future. The reaction or response to the initial utterance,* which may be a statement, question, or formula (a set expression such as "¿Cómo te va?" or "¿Sabías que . . .?"), may include answering the question; asking other questions; making one or more statements; expressing agreement, disagreement, or some other emotion; or performing some action.

Dialogues permit students to practice the utterances, statements, questions, or formulas of the language which duplicate the normal communication or interaction between individuals. Too often the presentation and intensive practice of a sound, a word ending, a verbal phrase or whatever, do not give the learner insight into the

*The word "utterance" is used to include statements, questions, formulas, and "incomplete" sentences. For example, the normal response to "Con quién fue usted a la escuela ayer?" might be "Con Juan." "Con Juan" is an utterance.

importance of these items within the complex relationships inherent in language.

This statement does not imply that features of language may not be introduced and practiced intensively in isolation. It does mean, however, that the items should be inserted as quickly as possible into everyday utterances so that learners can recognize the relationship of the particular item being practiced to an authentic, whole utterance, and its relation, in turn, to communication. Since a primary facet of terminal behavior in language acquisition is the ability to understand and speak the language as it is used by native speakers, the learning, dramatization, and variation or adaptation of meaningful, everyday conversation at normal speed should enable students to move toward this desired objective.

The effective use of dialogues makes it increasingly possible for learners to reinforce features of pronunciation, intonation, grammar, and vocabulary which may have been introduced through other teaching procedures. Dialogues may also be used, however, to introduce learners to items of the Spanish language which will then be reinforced through repetition and dramatization of the dialogues as well as through a variety of other types of practice exercises (including reading and writing when feasible).

After a dialogue has been reasonably well learned, the teacher can refer back to it when presenting a specific language feature for intensive study. It will give the students confidence to realize that they already can understand and say the item to be studied. There may be a time lapse of several days or more between the learning of the dialogue and the presentation of the grammatical feature exemplified in it. It is also possible to present a brief dialogue and teach the language items within it in the same lesson.

In addition to introducing and reinforcing language items, dialogues can also be used as culminating devices. In this function, they serve as a language experience which recombines in normal conversational exchange language items which had been presented separately.

Furthermore, the study of dialogues helps students gain insight into the various cultural aspects of Spanish-speaking communities. A dialogue about having lunch, for example, would signal to non-native speakers of Spanish that the time for meals differs in Spanish-speaking countries from the time to which they are accustomed. Another dialogue about whether it is proper to shake hands when being introduced to people may point to similarities or differences in customs. Since the range of topics covered in this textbook is quite broad, the discussion—under your guidance—which a dialogue should elicit will give numerous opportunities for cross-cultural understanding.

So much has been written so eloquently elsewhere about the advantages of dialogues in language learning that it does not seem necessary to continue to repeat the generally valid claims made for their use. Two points, however, warrant further emphasis.

Learning stimulus sentences and responses which can be imitated, and studying variants of these as will be suggested below, can help students toward an understanding of sentences they may never have heard or seen before and toward the creation of sentences they have never spoken before. Both linguistic competence and performance can be fostered through the judicious study of dialogues.

Perhaps as important, in light of studies on the paramount role of the learner's attitude in the acquisition of language, is the fact that being able to understand and to make conversation about topics and situations which parallel those in which he normally uses his native language fosters motivation. It goes without saying that this motivation will be sustained only if the dialogues are authentic, well-understood, and easily dramatized.

The remainder of this introduction will reinforce some of your ideas or suggest additional ones for introducing and practicing the various types of conversational exchanges included in the text.

the format

The dialogues are intended for learners of Spanish at any level of instruction. The brief, simple dialogues may serve as a review for some of your students; the more complex, longer ones as a challenge. The dramatization of any of them will enable learners to increase their grasp of pronunciation and intonation, to reinforce the other features of the Spanish language system, and to understand and engage in conversations about a variety of topics.

Your criterion for selecting a dialogue for any particular lesson may be its situational content, its use as a point of departure for the presentation or practice of a grammatical feature, its length, or its general suitability to a topic—linguistic or cultural—that you may be studying.

The age and interest level of the learners is, of course, the primary concern. If, as you browse through the book to select a dialogue, you find one that contains the structure and intonation you wish to give practice in, but not the vocabulary appropriate to the age level of your pupils, you may do one of two things: 1) adapt the vocabulary or 2) say something like, "Let's pretend we're children (or grown-ups)," or "What would our older (or younger) brother or sister say?" or "What would our parents (teachers, children, etc.) say?"

The conversations have been placed under broad categories, such as *Identificación, La escuela, Las personas y los lugares,* and further subdivided into such topics as "Compra de comestibles," "Compra de ropa," "Viajes y medios de transporte." Many of the dialogues could have been placed under two or three headings because they include grammatical patterns and vocabulary which would have been equally appropriate in other contexts.

It is hoped that as you help your students vary and adapt the dialogues they will acquire insight into the possible use of the patterns, structures, and vocabulary in more than one situation. Only in this way will students grasp the limits and dimensions of any item. Only through such variation and adaptation will they build a linguistic repertoire which will enable them to generate new utterances and to understand utterances they have not heard previously.

Types of dialogues

Within each category, you will find three types of dialogues:

1. *Diálogos breves.* These are generally composed of two or three single utterances. These dialogues have been graded within each broad category with relation to structure from the simple to the more complex. Let me hasten to add, however, that strict gradation was not always possible or feasible. First, what may constitute a difficulty for one learner may not be a difficulty for another. Second,

the very nature of dialogue may make systematic gradation or concentration on one verb (*ser* or *tener* for instance) or one tense or one question form impossible without losing the ring of authenticity for which we are striving. It is expected, however, that you will select the dialogue for which your students are ready and that you will help them comprehend and produce the specific feature or features of Spanish embodied in it by giving as much explanation and practice as necessary.

2. *Diálogos sostenidos.* These conversations are of two kinds:

a) In the first, the speaker makes more than one utterance either in the opening exchange or in the response. Here is an example:

—¡Caramba! ¡Qué bonita chaqueta! ¿Cuándo la compraste? (formula, statement, question)

—¿De veras te gusta? La tengo desde hace una semana. Fue un regalo de mis padres con motivo de mi graduación. (question, statement, statement)

In some dialogues, one or more segments of the multiple utterances may not be absolutely necessary for comprehension or for authenticity. These segments will be indicated in your text as follows:

—¿Qué te pasó ayer?

—Estaba enfermo./ Estaba resfriado.

In your initial presentation of the dialogue, you may wish to give practice only up to the slant line. Later in the semester, you may review the dialogue, adding the utterance after the slant line or any other appropriate utterance for which your students are ready. You will find that such a procedure will give learners the feeling that they are making tangible progress toward real communication.

b) In the second type of *Diálogo sostenido,* there is an extended exchange of utterances between two speakers. The utterances may be single or multiple. Here is an example:

—¿Adónde fuiste anoche?

—Al cine.

—¿Qué película viste?

—*Los molinos de viento.*

—Yo también la vi. ¿Te gustó? (multiple utterances)

—Sí, mucho.

In most of the examples of this second type of *Diálogo sostenido,* it will be possible for you—if you wish—to present and practice the dialogue in logical subdivisions. You will notice in the dialogue above, for example, that the first two sets of lines constitute normal two-utterance dialogues. The review of the previously learned utterances as new ones are added will result in essential reinforcement and in the continuous shaping of the students' delivery toward the desired speed and style.

3. *Diálogos espirales.* Within many of the socio-cultural categories, you will find a series of brief dialogues which deal with only one theme but which grow progressively more complex. The language items used in the first dialogue are generally repeated in the second, third, and fourth of the series, but in each successive one the items are expanded or combined with other items in numerous ways—phrases, clauses, adjectives, or adverbs may be added, for example—for use at more advanced levels of language learning.

Depending on the level of Spanish you are teaching and/or the ability of your students, you will teach the most appropriate dialogue of the spiral series. You may find it desirable, however, at intermediate and advanced levels, to have your students repeat aloud, read, study, and dramatize the dialogues in the series which immediately precede the one you intend to teach.

Diálogos sostenidos and *Diálogos espirales* have not been prepared for all topics. You will wish to create others based on your knowledge of your students, your textbooks, and the community in which you are teaching. You may also consider it desirable to have your more able students prepare other dialogues which, after they are checked by you or by an assistant, can be dramatized and varied by the entire group.

Additional materials for practice

You will find two sets of materials included with many of the dialogues. The first is a set of four or five italicized words or expressions enclosed in a box. Each of the words or expressions can be substituted for the word or expression in italics in the utterance immediately above the box.

In addition to the substitute words given in the text, it is recommended that other words or expressions be practiced which may be more suitable to your students' needs and experiences. These words and expressions should fit logically into the slot in the dialogue for which substitute words have been suggested.

Names of persons, places, ages, and dates should be related to your students' lives. Examples of words or expressions which should be changed are indicated throughout the text as follows:

—¿Dónde nació usted?

—En [Caracas].

The other substitute words you select may all be related to one category or may be culled from several vocabulary areas. At beginning levels, it is suggested that all words be within one category since words associated with each other are generally more easily retained. For example, in the dialogue utterance "Tengo (un) [lápiz]," you may substitute *pluma, regla, cuaderno, libro,* or *libreta.* If names of fruit have been taught, you may engage in a substitution drill with *banano, ciruela, pera, manzana,* or *melocotón.* If names of recreational items have been taught you may substitute *guante, pelota, raqueta,* or *palo de golf.*

You will notice that in the examples just given, the masculine or feminine, definite or indefinite articles were required. After many repetition and simple substitution drills, and as your pupils grow in their ability to select the appropriate form, you may intersperse items which would require changes in the articles, from masculine to feminine, from singular to plural, or vice versa.

In selecting pronouns for substitution, it may be desirable to emphasize *usted, él, ella; ustedes, ellos, ellas,* all of which govern the same verb form before interspersing the *yo, nosotros(-as), vosotros (-as),* and *tú* forms among the others.

Awareness of the fact that the surface and the deep structure of the language may not coincide makes it important that words or expressions substituted in any pattern be carefully selected. For example, in the dialogue sentence "Quiero comer," you might substitute *deseo, prefiero, espero*; but you would not substitute *tengo*, since this would have to be followed by the conjunction *que*.

The second type of material for practice is a whole new utterance to be substituted for the one above it in the dialogue. Sometimes two alternative utterances are suggested. For example:

—¿Cómo está usted?
—Muy bien, gracias.

—No muy bien.

—Muy mal.

The whole new utterance will generally be intended to take the place of the second utterance in the conversation unless otherwise indicated. The utterance given is merely suggestive. You may prefer to create several others for each dialogue which will be more appropriate in your teaching situation. Moreover, you may wish to give an entire new first utterance which will still elicit the substitute utterance. Additional suggestions for adapting and varying the dialogues will be found further on.

teaching suggestions

Presenting and engaging in dramatization of the dialogues

To help students understand the entire dialogue or a segment of one, you may use any one or a combination of these procedures:

1. Explain the situation in simple Spanish, expanding the brief comment you may find above the dialogue. Expanded comments are given only where the age, sex, or vocation of the speakers would necessitate a difference in the form of address or in some other language item in the conversation. Where no extensive comment is given, you will find it desirable to point out that the conversation could be between children, between adults, between children and adults, or between teachers and students. Your comment will depend on the age of the learner, his language ability and level, etc.

2. Point to each of the figures you have prepared to represent the speakers as you explain what each one is saying. Stick figures drawn on the blackboard, drawings, puppets, dolls, wedgie figures, flannelboard cutouts, etc., are all appropriate.

3. Repeat this procedure whenever necessary.

4. Teach new words and expressions through association with pictures, real objects, pantomime, or gestures before saying the dialogue.

5. Give the native-language equivalents of each utterance, not word-for-word translations. This is practicable only when all the pupils have the same native language background and if you know the native language, or if a teacher, parent, or student assistant knows the pupils' native language.

Whatever method you use for bringing about understanding of the dialogue, it is essential that students understand what the dialogue is about before they are asked to repeat the utterances or to dramatize them.

To help students say the dialogue or utterances of the dialogue* with reasonable fluency, you may wish to follow this procedure:

*With the longer *Diálogos sostenidos,* you may wish to present the summary and only the first two or four lines during a teaching lesson.

1. Say the dialogue several times as students listen. The first two times stand near the figures you have prepared and point to each figure as he or she speaks. (If you are using puppets, lower the head of the one speaking.) After that, and particularly if your group is large, you may wish to stand in various sections of the room so that every student can see your mouth and your gestures. In order to convey the idea of change of speaker, pause for a short time between the utterance(s) of one speaker and the next.

2. Say each utterance three or four times and engage your entire group in choral repetition. Model the utterance each time before you ask the group to repeat it.

3. Divide the group in half. Have each half of the group take one role in the dialogue. Indicate by means of a previously explained gesture which group is to start.

4. Reverse the roles. Repeat this procedure several times.

5. Ask a more able student to come to the front of the room. Say something such as, "You will be Juan [or whoever is speaking]. I will be [Señor González]."

6. Follow this procedure with several students. The number of times will depend on the complexity of the dialogue and the ability of your students.

7. Ask sets of students to dramatize the utterances. (Continue to help.)

8. Ask one student to take one role while the other class members take the second role.

9. Engage in chain drills when the dialogue lends itself to chain practice.

If a tape recorder is available, you may have the entire class, groups, or individuals listen to and imitate a tape on which the dialogue has been recorded. The dialogue should be spoken by as many different voices as there are speakers.

Some teachers have found the following procedures desirable in preparing a tape:

1. A summary of the dialogue is given.

2. The entire dialogue is spoken two times.

3. The stimulus sentence is given, followed by a pause for student imitation.

4. The response sentence is given, followed by a pause for student imitation.

5. The stimulus sentence is given, followed by a pause for student response. If possible, this should be followed by confirmation by the tape and provision for student imitation of the confirmed response.

In order to give students the opportunity to initiate a conversation, a second tape or the second part of the tape may be prepared as follows. A speaker will direct the student to start a particular conversation which has been identified and recorded. In the case of long sentences you may find it necessary to divide the sentences into short, logical segments for repetition. You may divide the sentence from the beginning or from the end. Building the sentence from the end helps to maintain the desired intonation.

Here is a procedure with the sentence *Me gustaría ir a la biblioteca antes de que la cierren*:

1. Say the entire sentence twice. Students are to listen only.

2. Tell the class members that they are going to learn to say the sentence a little at a time.

3. Divide the sentence into segments. The length of the segments will depend on the logical division of the sentence into phrase groups and on your students' familiarity with the sounds and sound sequences in them.

a) From the beginning.
   1) Say, "Me gustaría." Students will repeat.
   2) Say, "ir." Students will repeat.
   3) Say, "a la biblioteca." Students will repeat.
   4) Say, "Me gustaría ir a la biblioteca." Students will repeat.
   5) Say, "antes de que la cierren." Students will repeat.
   6) Say the entire sentence twice. Ask the entire class, then smaller groups, then individuals to repeat the entire sentence. (Repeat the model as often as is necessary to achieve reasonable fluency.)

b) From the end.
   Reverse the above process, starting with "antes de que la cierren."

Extending and reinforcing language competency and performance through dialogue study

In addition to the values already noted, dialogues can serve many other purposes, any of which will contribute to the progressive ability of students to understand, speak, read, and write Spanish while learning something of the customs and habits of Spanish speakers. For example, after a dialogue has been dramatized as suggested above, you may ask that it be read, copied, or adapted to indicate different speakers, a different time, a different situation—buying clothing instead of food, or a different point of view—disagreement instead of agreement.

You may use any of the dialogues as dictation exercises with the dictation given by you, by an assistant, or on a tape. The longer ones can be given similarly as aural comprehension exercises. Students may be asked to give answers orally or in writing. Students may also be encouraged to formulate questions based on the dialogues. Their fellow students can then be asked to answer the questions.

Wherever logical and when your students are ready for this type of writing, you may ask that they prepare a narrative paragraph from a dialogue. For example, a narrative paragraph based on the dialogue entitled *Saludos y presentaciones* may be as follows: "Jacinto López presenta a dos amigos, Juan González y Pedro Rodríguez. Cuando se saludan, se dicen el uno al otro: 'Mucho gusto en conocerlo.' "

To illustrate further, the narrative paragraph for dialogue 14, page 13, may be (depending on the language level of your students): "Dijo que no era casada, pero que estaba comprometida."

Not only can the paragraphs be varied depending on the use to be made of such language elements as connecting words (*pero, así, aunque,* etc.), but they can be expanded to make longer paragraphs or compositions with the first sentence or the combined two utterances (as in the second example above) serving as the topic sentence. In many cases, the comments above the dialogues or those introducing a category of dialogues may be used as topic sentences for oral discussion and paragraph or composition writing.

In addition, you may use any dialogue in the text to:

1. Discuss similarities in habits and customs between members of the Spanish-speaking community and others.

2. Practice sentences with similar intonation patterns.

3. Reinforce the characteristic rhythm of Spanish.

4. Teach grammar. By giving many additional examples of an item of structure, students can be helped to note its characteristic form, its position in an utterance, or the response it generally requires. If they are able to, they can be asked to make a generalization about it; that is, to formulate a description of the item with emphasis on its form, function, and position meaning.

5. Engage in structure or vocabulary drills using oral or written cues. Substitution, replacement, expansion, and transformation drills can be based on the utterances in a dialogue. You may wish to manipulate the utterances apart from a particular dialogue or you may wish to make the substitutions within the dialogue context.

6. Generate similar sentences and dialogues. More able students at the early levels and the majority of students at intermediate or advanced levels may be asked—under your guidance—to suggest alternative whole utterances (in addition to those found under the dialogues) which could be substituted for any given utterance. In this case, of course, intensive practice will be needed to help students in selecting the stimulus or response sentence which will be logical with the new alternative utterance.

Moreover, as the students build a repertoire of model sentences from the dialogues and as they gain insight, through extensive practice, into the situations into which the model sentences can fit, they should be able to create their own dialogues. For example, a new dialogue such as:

—¿Adónde fuiste ayer?
—Fui a comprar un vestido.

may be adapted from the two previously learned dialogues:

1

—Ayer fui a comprar un vestido.
—¿Compraste alguno?

2

—¿Adónde fuiste ayer? No te vi.
—Fui a la biblioteca.

7. Create dialogues within different contextual situations. For

example, if students have learned to use the structure "¿Cuánto cuesta?" with relation to shopping for food, they should be guided to create utterances or entire dialogues using "¿Cuánto cuesta?" in conversations related to the buying of a plane ticket or the purchase of clothing. A dialogue about a visit to the doctor should lead to the preparation of another about a visit to the dentist. To illustrate further, a dialogue in which the ending of a business letter is mentioned might elicit one in which the ending of an informal letter is used.

Activities such as those outlined briefly in suggestions six and seven above are especially important if we wish to avoid the shock that language learners experience in speaking to native speakers when their stimulus sentence is not followed by the response they had been led to expect. This is often the case when a dialogue has been memorized and dramatized without further study or creative recombination.

The dialogues and the many discussions and learning activities they will suggest can be used to update traditional textbooks in which dialogues may not be found or to supplement those which may already exist in the texts you are using. They can stretch the imagination of the students and open wide for them possibilities that may not have occurred to them.

There is no doubt that the study of the various types of conversational exchanges found in this text in the manner suggested above and in the numerous ways which your imagination and spirit of creativity will devise can help your students grow toward a firm control of language skills. More importantly, their study will give your students of Spanish the models and the topics they need in order to communicate—the primary goal of language learning.

TO THE STUDENT

This book contains many examples of conversations that you will hear Spanish speakers say and that you will be able to use in speaking to them. In order to derive the greatest benefit from this book, you should do the following—and anything else your Spanish teacher or Spanish-speaking friend may recommend:

1. Listen to your Spanish teacher as he or she says the conversations. If you do not have a Spanish teacher, ask someone who speaks Spanish to say the conversations aloud for you several times. Try to imitate the pronunciation. Make marks next to or over the words in the dialogue which will help you remember the pronunciation.

2. Repeat the conversations as many times as possible.

3. Say the conversations with a friend who is learning Spanish or with any Spanish speaker. First, you start the conversation and have the other person say the other part. Then change the roles or parts. The other person will start and you will respond.

4. Copy the conversations.

5. Use each word in the box in place of the italicized word. For example, you may find:

—¿Adónde vas?

—Voy a comprar (una) *pluma.*

lápiz regla caja estampilla

Say each new sentence and write it. The sentences you say and write into your notebook will look like this:

—Voy a comprar un lápiz.

—Voy a comprar una regla.

—Voy a comprar una caja.

—Voy a comprar una estampilla.

6. Say the conversation with a friend again. This time use one of the new sentences.

7. Study the whole new sentence or expression which you will find in the text. For example, in your text you may see,

—Vamos a un restaurante italiano.

—Bueno, te veré a las seis.

—Lo siento. No me gusta la comida italiana.

First, practice the dialogue as it is written. Then, practice the dialogue like this:

—Vamos a un restaurante italiano.

—Lo siento. No me gusta la comida italiana.

Copy this new dialogue. Say it many times. Dramatize it with a friend as was suggested in suggestion three above.

8. Learn many of the conversations by heart; that is, memorize them.

9. When your teacher feels you are ready, change the dialogue to a paragraph. For example, one way of writing the paragraph for the dialogue in suggestion seven may be: "Mi amigo quería ir a un restaurante italiano, y decidimos encontrarnos a las seis." The other paragraph may be: "Mi amigo quería comer en un restaurante italiano, pero yo le dije que no me gustaba la comida italiana."

10. Ask someone who knows Spanish to read and correct the paragraphs you have written if you have no teacher. If there are errors, correct them and write the paragraphs again.

I hope you enjoy learning the conversations and doing the exercises. If you will do them carefully and faithfully, I know that when someone asks, "Do you speak Spanish?", you will be able to answer truthfully, "Of course I do."

Good luck! Have fun!

Sincerely,

Mary Finocchiaro

SALUDOS Y PRESENTACIONES

Diálogos breves

Una alumna saluda a su profesora.

1. —Buenos días, [señorita González].

   —Buenos días, *Carmen.* ¿Cómo estás?

Bárbara	*Sandra*	*Pedro*	*María*	*Enrique*

Dos adultos son presentados.

2. —[Señorita Pérez], le presento (al) *señor Vargas.*

señorita Rodríguez	*señora de Rosas*	*señor Jiménez*
señorita Osorio	*señora de Sánchez*	

   —Mucho gusto en conocer(lo), *señor Vargas.*

   —Encantado de conocer(la), [señorita Pérez].

Dos jóvenes se encuentran.

3. –Hola, [María]. ¿Cómo estás?

–Muy bien, gracias, ¿y tú?

–Bastante bien, gracias.

–Muy bien, gracias.

–No muy bien./Tengo un fuerte resfriado.

Dos jóvenes amigos se encuentran. Uno presenta al amigo (o a la amiga) que lo acompaña.

4. –Hola, [Jaime]. ¿Cómo estás?

–Muy bien, gracias.

–[Jaime], te presento a mi amig(o) *Manuel.*

Pablo	*José*	*Fernando*	*María*	*Clara*

–Mucho gusto, *Manuel.*

–Mucho gusto, [Jaime].

Un joven o una joven presenta un amigo a otra persona.

5. –[Señor Pérez], le presento a mi amigo *Ramón.*

Salvador	*Francisco*	*Juan*	*Julio*	*Mario*

–Encantado de conocerte, Ramón.

–Mucho gusto en conocerte, Ramón.

Un joven o una joven presenta un amigo adulto a otro adulto.

6. –Señor *Calvo,* permítame presentarle a mi amigo, el señor [Pérez].

Arteaga	*Buendía*	*Castro*	*Delgado*	*Figueroa*

—Encantado de conocerlo, señor *Calvo.*

—Mucho gusto, señor [Pérez].

Un muchacho o una muchacha presenta un pariente a una amiga.

7. —[María], quiero presentarte a mi *padre.*

hermano abuelo tía prima

—Encantada de conocer(lo), [señor Ramos].

Dos amigos, [Pablo y Jaime], se encuentran. [Jaime] pide ser presentado al nuevo amigo de [Pablo].

8. —[Pablo], me gustaría conocer a tu nuevo amigo.

—A él también le gustaría conocerte, [Jaime]. Vamos al *parque.* ¿Quieres acompañarnos?

teatro museo cine gimnasio

—Sí, me gustaría.

—Lo siento. No puedo acompañarlos hoy.

Un joven pide consejo a un amigo.

9. —Estoy confundido. ¿Debo dar la mano a una dama cuando me la presentan?

—Sólo si ella te ofrece la suya.

—Yo nunca lo hago, pero si tú quieres, puedes hacerlo.

Diálogo sostenido

[Juan] y su amigo, [Jorge Becerra], encuentran a [Alicia] en la calle. Los jóvenes van al cine. Preguntan a [Alicia] si quiere ir con ellos.

—Hola, [Alicia].

—¿Qué tal, [Juan]? ¡Qué gusto verte de nuevo!

—Permíteme presentarte a [Jorge Becerra].

—Encantada de conocerlo, [Jorge]. [Juan] habla mucho de usted.

—Es un placer conocerla, [Alicia].

—[Jorge] y yo vamos [al cine]. ¿Te gustaría venir con nosotros?

—Gracias, pero no puedo. Tengo que ver a [María].

—Quizá ella quiera venir también.

—Bueno, podemos preguntárselo. La casa de [María] está cerca [del cine].

Diálogo espiral

Dos amigos se encuentran.

—Hola, [Juan]. ¿Cómo estás?

—Muy bien, gracias, ¿y tú?

—Hola, [Juan]. ¡Qué alegría verte! ¿Cómo estás?

—Muy bien, gracias. Gusto de verte.

—Hola, [Juan]. Hace mucho que no nos vemos. ¡Qué alegría verte! ¿Cómo estás?

—Muy bien, gracias. ¿Y tú, cómo estás?

—Hola, [Juan]. ¡Qué bien te ves! Hace mucho que no nos vemos. ¡Qué alegría verte de nuevo! ¿Cómo estás?

—Muy bien, gracias. Tú también te ves bien.

—Hola, [Juan]. ¡Qué sorpresa! ¡Qué alegría verte de nuevo! ¡Hace mucho tiempo que no nos vemos! Te ves muy bien. ¿Cómo estás?

—Muy bien, gracias. ¡Qué sorpresa tan agradable! Me da gusto verte de nuevo. Tú también te ves muy bien.

IDENTIFICACIÓN

Diálogos breves

En los diálogos que siguen (1-7), un profesor quiere saber cómo se llaman sus alumnos.

1. —¿Cómo te llamas?

   —Me llamo [Antonio].

2. —¿Cómo se llama usted?

   —Me llamo [Juan Sánchez].

3. —¿Cómo se llama usted?

   —[Dorotea García de López].

   —Gracias, [señora].

4. —¿Cuál es su nombre de pila?
   —Mi nombre de pila es [Tomás].

5. —¿Cuál es su apellido?
   —Mi apellido es [Duarte].

6. —¿Cuál es su nombre de pila, [señor Ronda]?
   —Mi nombre es [Roberto].
   —¿Cuál es su segundo apellido?
   —Mi segundo apellido es [Fernández].

7. —¿Cuál es su nombre completo?
   —[Roberto Ronda Fernández].

Un profesor pregunta cómo se llama el pariente de un alumno.

8. —[Señor Pérez], ¿cómo se llama su esposa?
   —Se llama [Rosa María Cañizares de Pérez].

9. —[Señora Martínez], ¿cómo se llama su *esposo*?

hijo	*padre*	*nieto*	*hermano*

   —Mi *esposo* se llama [Enrique].

Alguien pregunta quién es un joven que se halla en la misma habitación.

10. —¿Quién es el joven que está junto a la puerta?
    —Es un amigo mío.
    —¿Cómo se llama?
    —Se llama [José].

En los diálogos siguientes (11-13), se preguntan los nombres de algunas personas.

11. –¿Cómo se llama este caballero?

    –Se llama [Juan Rodríguez].

12. –¿Cómo se llama esa señora?

    –No lo sé.

13. –¿Cómo se llama su amigo?

    –Se llama [Juan Pérez].

Un joven pregunta a otro si conoce a cierta persona.

14. –¿Conoces a [Juan González]?

    –*Sí, vamos juntos a la escuela todos los días.*

No, no (lo) conozco.

Un alumno pregunta a otro de qué país es.

15. –¡Hola! ¿Estás recién llegado aquí? ¿De dónde eres?

    –Soy de *Guatemala.*

Honduras	*Panamá*	*Bolivia*	*Perú*	*Brasil*

Una persona pregunta a otra cuántos idiomas habla.

16. –¿Cuántos idiomas habla usted?

    –Hablo dos, el *inglés* y el *español.*

ruso	*portugués*	*francés*	*alemán*	*italiano*

En los siguientes diálogos (17-19), se pregunta sobre la nacionalidad.

17. —¿Qué es usted?

—Soy *mexicana.*

guatemalteca *panameña* *hondureña* *brasileña* *peruana*

18. —¿Qué es usted?

—Soy *francés.*

alemán *holandés* *árabe* *español*

19. —¿Qué es usted?

—¿Quiere decir qué profesión tengo?

—No, quiero decir de qué nacionalidad es usted.

—¡Ah!, ahora comprendo. Soy *venezolano.*

colombiano *chileno* *uruguayo* *nicaragüense* *español*

Una persona quiere saber algo acerca de otra.

20. —Dígame algo acerca de usted.

—¿Qué le gustaría saber?

—Bueno. ¿De dónde es usted?

—Soy de España.

En los diálogos que siguen (21-22), se habla de los lugares donde nacieron algunas personas.

21. —¿Dónde nació usted?

—En [la Ciudad de México].

22. —¿Dónde nació usted, [señor Pérez]?

—Yo nací en [Guatemala].

—¿Dónde nacieron sus hijos?

—Ellos también nacieron en [Guatemala].

Diálogos sostenidos

En las conversaciones siguientes (1-4), varias personas hacen preguntas sobre los países de origen de las demás.

1. —¿De dónde es usted, [señor López]?

—Soy de [Honduras].

—¿Es su esposa de [Honduras] también?

—No, ella es de [Panamá].

—¿Dónde está ella ahora?

—*Está aún en [Panamá].*

Está aquí, conmigo.

2. —¿Cuál es su ciudad natal?

—[La Habana].

—Linda ciudad. Estuve allí hace dos años.

3. —¿Cuál es su ciudad natal?

—Mi ciudad natal es [Guadalajara].

—¿Dónde está esa ciudad?

—Está en [España], cerca de [Madrid].

—¿A qué distancia de [Madrid]?

—*A unos 50 kilómetros.*

—*A cosa de una hora en automóvil.*

4. —¿Dónde nació usted?

—Nací en [Jamaica].

—¿Dónde está [Jamaica]?

—*En el mar Caribe. Es una de sus islas mayores.*

Véala aquí en el mapa.

En los diálogos siguientes (5-6), se habla de los lugares en que viven algunas personas.

5. —¿En qué barriada o sección residencial vive usted, [señora López]?

—Vivo en [San Ángel].

—¿Y usted, [señora de Rodríguez]?

—*Vivo en Las Lomas.*

—*Vivo en [San Ángel] también.*

6. —¿De dónde es usted?

—Soy de [Bogotá].

—¿Cuál es su dirección en [Bogotá]?

—Es [Carrera 7 # 32-52].

—¿Viven sus padres también allí?

—No, ellos viven en [la calle Pablo VI].

En las conversaciones que siguen (7-10), la gente habla acerca de sus edades y cumpleaños.

7. –¿Qué edad tiene usted, [señor Rodríguez]?
   –Tengo [treinta y cuatro] años de edad.
   –¿Qué edad tiene su hijo?
   –Tiene [tres] años de edad.
   –¿Y su hija?
   –*Tiene sólo seis meses.*

–Cumplió cuatro años la semana pasada./Hicimos una fiesta para celebrar su cumpleaños.

8. –¿Cuándo es su cumpleaños?
   –Mi cumpleaños es en *septiembre.*

abril	*mayo*	*julio*	*agosto*	*diciembre*

9. –¿Cuándo nació usted, [señor Yáñez]?
   –Nací el [cuatro de abril de mil novecientos treinta y cinco].

10. –Yo nací en [mil novecientos dieciséis].
    –¿En qué mes?
    –En [septiembre].
    –¿Qué día?
    –No estoy seguro. Mi certificado de nacimiento se quemó en un incendio.

En las conversaciones siguientes (11-14), se habla del estado civil de algunas personas.

11. –¿Es usted casado?

–Sí, soy casado.

–¿Tiene usted hijos?

–*Sí, tengo tres hijos: dos niños y una niña.*

–*No, no tengo hijos.*

12. –¿Es usted casado, [señor Pérez]?

–Sí, soy casado.

13. –¿Es usted casado, [señor López]?

–No, no soy casado. Soy soltero.

14. –¿Es usted casada?

–No, pero estoy comprometida.

Dos personas que no se han visto por largo tiempo se saludan.

15. –Hola, [Andrés]. ¿Cuándo llegaste?

–Anoche.

–¿Dónde estás alojado?

–En casa de mi [suegra].

–¿Cuánto tiempo vas a quedarte?

–Cerca de una semana.

–*¡Magnífico! Entonces podremos vernos durante la semana.*

–*Nos vemos mañana, si te es posible.*

Un recién llegado a una nación de habla española dice que prefiere hablar su lengua materna.

16. —Usted es de [los Estados Unidos], ¿verdad?

—Sí, pero hace [cinco] años que vivo en este país.

—¿Aprendió a hablar español en [los Estados Unidos]?

—Sí, lo estudié tres años antes de venir aquí.

—¿Le gusta hablar español?

—Sí, pero prefiero hablar inglés.

Un recién llegado a [la Ciudad de México] la encuentra muy hermosa.

17. —¿Desde cuándo vive en [México]?

—Hace un mes que vivo aquí.

—¿Le gusta vivir aquí?

—Sí, me gusta la ciudad, es *encantadora*.

maravillosa	*vibrante*	*fascinante*	*grandiosa*

—¿Va usted a quedarse en la ciudad?

—Sí, así lo espero. Estoy buscando empleo./La beca se me está acabando.

Un joven casi se olvidó de una hermosa rubia.

18. —Conocí a la hermana de [la señora de Pérez] esta mañana en la tienda.

—No la conozco.

—Creo que sí la conoces. Es la hermosa *rubia* que estudia arquitectura.

morena	*pelirroja*	*trigueña*

—*¡Ah, sí!, creo que la recuerdo.*

—*Claro, hombre. ¿Cómo puedo olvidar a una muchacha como ésa?*

Alguien pregunta por un conocido.

19. —¿Has visto a [Juan González]?

—No, hace mucho que no lo veo.

—¿Por qué? ¿Tuviste acaso algún disgusto con él?

—No, pero se mudó fuera de la ciudad.

—¡Ah! ¿De veras? No lo sabía.

Dos recién llegados [al Ecuador] cambian impresiones.

20. —¿Desde cuándo está usted en [el Ecuador]?

—Bueno, cosa de [cinco] años. Llegué en [marzo de 1969]. ¿Y usted?

—Llevo casi [cuatro] años aquí. En [1968] estuve dos meses también.

—Usted habla español muy bien./Pensé que llevaba más de [cinco] años en el país.

—¡Es usted muy amable! Hace [cuatro años y medio] que asisto a la escuela nocturna para estudiar español./Me ha ayudado mucho. ¿Y cómo aprendió usted a hablar tan bien?

—Pues, aprendí el idioma desde pequeño. La mayoría de nuestras escuelas enseñan español. Me gustaría ser profesor de español./Por eso he venido. Tengo visa de estudiante.

–Bueno, le deseo éxito. Mi compañía tiene una sucursal en [el Ecuador] y me quedaré aquí [dos] años más. Espero que nos veamos de nuevo. ¿Viene usted a menudo por aquí?

–Sí, vengo todas las semanas. Por tanto, espero verlo de nuevo. Buenas noches.

–Buenas noches.

LA HORA, LA FECHA, EL TIEMPO Y LAS ESTACIONES

la hora

Diálogos breves

En los diálogos que siguen (1-6), la gente necesita saber la hora.

1. —¿Qué hora es?

   —La una de la tarde.

   —*Bueno. Es la hora de la comida.*

   —*Qué bien, porque tengo hambre.*

2. —¿Qué hora es?

—[Las once], más o menos.

—*¿Qué tal si tomamos una taza de café?*

—*¿Te gustaría una taza de té?*

—*Sí, me gustaría muchísimo.*

—*Sí, muchas gracias.*

3. —¿Sabe usted qué hora es?

—Sí, son exactamente *las dos de la tarde.*

las tres *las cinco y cinco* *las seis y media* *las ocho menos cuarto*

—Bueno, todavía llego a tiempo para la clase.

El profesor conversa con un alumno.

4. —¿Recibió tu mamá mi carta?

—*Sí, y dijo que vendría a verlo a usted a las tres.*

—*No, no lo creo.*

5. —¿Con qué frecuencia pasan los tranvías?

—Cada *veinte* minutos, más o menos.

cinco *diez* *quince* *treinta*

Diálogo sostenido

Dos amigos se dan cita para almorzar juntos.

—¿Puedes venir a buscarme hoy a la una y cuarto?

—Creo que no podré salir de la oficina antes de las dos.

—En ese caso, ¿te gustaría almorzar conmigo mañana?

—¡Por supuesto! ¡Encantado!

la fecha

Diálogos breves

Alguien pregunta por el día de la semana.

1. —¿Qué día es hoy?

   —*Es lunes.*

—*Creo que es lunes.*

Alguien pregunta por la fecha.

2. —¿Qué fecha es la de hoy?

   —Es el [veinticuatro de enero].

En los diálogos que siguen (3-5), se usan algunas fechas importantes.

3. —¿Cuándo termina el curso?

   —[El veintiséis de mayo].

4. —¿Cuándo es el examen final? ¿Es también [el veintiséis de mayo]?

   —No, es el [treinta de mayo].

5. —¿Cuándo te casas?

   —El [doce de junio]. Estoy contando los días.

6. —¿Cuándo es su fiesta nacional?

   —Es [el quince de septiembre].

Diálogo sostenido

Dos alumnos acuerdan una visita.

—¿Puedes ir a mi casa el miércoles?

—Creo que no. Pero tengo libre [el jueves] y [el viernes], si te parece.

—Esos días tengo clase; pero nos podemos ver el viernes por la tarde.

—Bueno. Entonces nos vemos el viernes por la tarde a [las cinco en punto]; pero llámame [el jueves] para recordármelo.

el tiempo y las estaciones

Diálogos breves

Del número 1 al 17 se habla del tiempo, un tema corriente en la conversación.

1. —Está saliendo el sol.

   —¡Magnífico! Entonces podemos ir a *pasear*.

caminar	*cabalgar*	*pescar*	*cazar*

2. —¿Cómo está el tiempo hoy?

—Muy bueno. Hace sol.

—Está horrible. Lluvioso y nublado.

3. —¿Qué tal el tiempo, [mamá]?

—Claro y templado.

—¡Perfecto! Hoy es el juego en la escuela.

4. —Hace mucho calor aquí adentro.

—Quitémonos las chaquetas!

—Abriré las ventanas.

5. —¿Cuándo es la estación cálida aquí?

—Hace mucho calor en julio y agosto.

6. —¿Tiene usted frío?

—Sí, voy a ponerme el abrigo.

—En lo absoluto. Nunca tengo frío.

7. —Nunca había visto nevar. ¡Qué lindo!

—Ahora, porque la nieve está limpia. ¡Ya verás cuando se convierta en lodo!

8. —¡Qué tiempo tan malo! Espero que deje de llover.

—Yo también. Queremos ir de paseo esta tarde.

9. —Es un día horrible: frío y húmedo.

—Sí, es cierto.

—Es un día para quedarse en casa junto al fuego.

10. —¡Qué frío hace! ¿Qué quieres hacer esta tarde?

—Vamos a *patinar.*

cenar jugar estudiar leer ver televisión escuchar música

11. —La temperatura ha bajado mucho.

—¡Sí, el termómetro casi señala cero!

12. —Está lloviendo.

—¡Oh no! ¿Otra vez? Detesto la lluvia.

—¡Magnífico! Me gusta sentir la lluvia en la cara.

13. —¿Está lloviendo ahora?

—No, pero va a llover pronto. Mejor te llevas un paraguas.

—No, pero está nublado. Creo que pronto lloverá.

14. —Si llueve, no saldré.

—Tienes razón. Sería una tontería salir.

15. —Si hubieras sabido que iba a llover, ¿no habrías traído un paraguas?

—Seguro que lo habría hecho. Pero el radio no anunció lluvia.

16. —¿Sabes qué vas a hacer en tus vacaciones?

—Si hace calor, iré a la playa cada vez que pueda.

—No estoy seguro todavía. Depende del tiempo.

17. —¿Llueve siempre en la primavera? Todas mis cosas están húmedas.

—Aquí llueve mucho en esta estación del año, pero es bueno para las flores.

—No siempre. Parece que este año está lloviendo más.

Diálogos sostenidos

Tres personas hablan de sus estaciones preferidas.

1. —Siento mucho frío. No me gusta este tiempo. Prefiero la primavera.

—Yo prefiero el invierno. Es divertido caminar sobre la nieve.

—No me gusta del todo el invierno. El verano es mi estación preferida. Me encanta *nadar.*

pescar	*remar*	*cazar*	*ir al campo*

A un recién llegado se le dice que los días lluviosos son frecuentes en este tiempo.

2. —¡Nunca he visto tanta lluvia! Hace una semana que llueve continuamente. ¿Es siempre así el tiempo de aquí?

—No, yo he vivido aquí toda mi vida y nunca había visto llover tanto.

—Sí, por desgracia, siempre llueve así en esta época del año.

3. —Tronó, llovió y nevó.

—Apenas puedo creerte./¡El tiempo es siempre tan agradable!

—Me sorprende oír eso./Nunca había nevado allí antes.

4. —Hubo una tormenta anoche.

—Sí, oí los truenos y la lluvia.

—¿Vio usted los relámpagos?

—No, tenía mucho miedo. Cerré los ojos para no ver nada.

—Sí, pero no me dio nada de miedo.

Un padre o un profesor se dirige a un joven.

5. —A ver si te acuerdas. ¿Cuáles son las estaciones del año?

—Son el otoño, el invierno, la primavera y el verano.

—¿Es [diciembre] uno de los meses de [primavera]?

—No, es uno de los de [invierno].

Diálogos espirales

1. —¡Hace un día muy lindo!

—Sí, es cierto.

—Es un día muy bueno: de sol y templado.

—Sí, es cierto. Es muy agradable. Me gustan los días de sol.

—Es un día claro y de sol. Hace un tiempo desacostumbrado para el mes de [marzo], ¿verdad?
—Sí, parece que la primavera se ha adelantado este año.

—Es un día como para pasear por el parque. ¿Te gustaría salir?
—Sí, es una buena idea. Me gustaría salir a caminar.

—Es un día espléndido para pasear por el parque. Vamos a caminar. Tal vez encontremos algunas flores.
—Sí, me gustaría dar un paseo por el parque. Ayer vi unas lindas flores amarillas por allí.
—¿Qué clase de flores?
—No sé cómo se llaman. Quizá tú las conozcas.

2. —Está lloviendo.
—Lo sé. Llevaré un paraguas.
—¿Vas muy lejos?
—No, a la esquina nada más.

—¿Adónde vas? Llueve a cántaros.
—Tengo una cita con [el dentista]. Sólo voy a la esquina.
—¡No te olvides de llevar el paraguas!
—No te preocupes.

—¡Oye cómo llueve! ¿Tienes que salir?
—Me quedaría en casa, pero tengo una cita con [el dentista] a las [siete].
—No te olvides de llevar el impermeable y el paraguas.

LA ESCUELA

Diálogos breves

Aquí se nombran algunos útiles escolares.

1. —¿Qué es esto?

   —(Un) *libro.*

lápiz	*cuaderno*	*regla*	*compás*	*borrador*

Alguien quiere devolver a su dueño el libro que ha encontrado.

2. —¿Es suyo este libro?

   —No, éste no es el mío.

—No, no es mío. Es de él.

Un padre hace una pregunta a su hijo o hija.

3. —¿Dónde está tu libro?

—No lo sé.

—Lo dejé en *la escuela.*

mi escritorio	*la biblioteca*	*casa de un amigo*

Alguien busca el libro de María.

4. —¿Has visto el libro de *María*?

Juan	*Pedro*	*Francisco*	*Alicia*	*Rosa*

—Sí, está sobre la mesa.

—No, no lo veo por ningún lado.

Alguien busca la pluma de María.

5. —¿Dónde está la pluma de *María*?

Roberto	*Marta*	*Alberto*	*Manuel*	*Dolores*

—No lo sé. No la he visto.

—¿Por qué me preguntas a mí?

Se le pide a alguien [un lápiz].

6. —¿Ve usted [un lápiz] en esa mesa?

—Sí, (lo) veo.

—¿Me (lo) pasa, por favor?

—Tenga la bondad de dárme(lo).

Se le pregunta a alguien dónde puso su [libro].

7. —¿Dónde puso su [libro]?

—(Lo) puse en mi escritorio.

—No lo recuerdo.

Se le pregunta a alguien el nombre de su profesor(a).

8. —¿Cómo se llama su profesor(a)?

—*Roberto Rodríguez.*

María González	*Rosa de Priego*	*Juan Nicol*

Se le pregunta a alguien en qué grado está.

9. —¿En qué grado estás tú?

—En el [sexto].

10. —¿Cuántos alumnos hay en tu grupo?

—[Veinticinco].

Dos alumnos elogian a sus profesores.

11. —Me gustan los profesores de aquí.

—A mí también. La [señorita González] me cae muy bien.

—Es mi profesora de *literatura española.*

geografía	*matemáticas*	*historia*	*música*	*ciencia*
arte				

Un alumno no apuntó la tarea y le pide el cuaderno a un compañero.

12. —Hola, [Jorge]. ¿Apuntaste la tarea de *matemáticas*?

historia	*inglés*	*ciencias naturales*	*francés*	*geometría*

—Sí, ¿por qué?

—*Porque salí del aula y cuando regresé ya la habían borrado.*

—Olvidé anotarla.

Un alumno invita a otro a dar un paseo.

13. —Vamos a dar un paseo después de clase.

—No puedo. Tengo que hacer mi tarea.

—De acuerdo. Nos vemos en tu casa.

Un estudiante pregunta a otro si va a estudiar.

14. —¿Piensas estudiar esta tarde?

—No, de ningún modo./Tengo que ir al gimnasio a practicar.

—Sí, tengo exámenes mañana.

Un estudiante invita a un amigo al partido de [fútbol] en su escuela.

15. —Hay un partido de [fútbol] hoy en mi escuela. ¿Quieres venir?

—¡Claro! Me gusta mucho el [fútbol].

—No puedo. Tengo que ir de compras.

Dos alumnos hablan de cómo van a la escuela.

16. —¿Cómo vienes a la escuela?

—Generalmente en autobús.

—Generalmente en el metro.

—Casi siempre en bicicleta.

Un profesor pregunta a un alumno cómo va un compañero a la escuela.

17. —¿Cómo viene [José] a la escuela?

—No lo sé.

—Pregúntele a él cómo viene a la escuela.

—¿Cómo vienes a la escuela, [José]?

—Por lo general, a pie.

Dos recién llegados hablan en su propia lengua.

18. —¿Te resulta difícil el español?

—Todavía no puedo decirte. Acabo de empezar a estudiarlo.

—No entiendo nada.

Dos adultos que van a la escuela nocturna una vez por semana hablan de sus clases.

19. —¿Fue usted a la escuela la semana pasada?

—No, no fui. Fui a una [fiesta]. ¿Y usted?

—Yo sí fui. He ido a todas las clases desde [septiembre].

Diálogos sostenidos

Alguien pregunta a un recién llegado lo que estudia en la escuela.

1. —¿Qué estudia usted en la escuela?

—Estudio español.

—¿Cuál es su lengua materna?

—[Inglés].

—¿Entiende todo lo que el profesor dice en español?

—Sí, se expresa con claridad.

—Sólo un poco./El [inglés] es muy diferente.

Alguien le pregunta a un padre a qué escuela manda a su hijo.

2. —¿Va su hijo a la escuela pública?

   —*No, está en una escuela privada./No hay ninguna escuela pública cerca de donde vivimos.*

—*Sí, hay una cerca de casa. Es una escuela muy buena.*

Un alumno dice que ha estado muy ocupado últimamente.

3. —No te he visto últimamente. ¿Dónde te has metido?

   —*Tengo que escribir mucho para mis cursos. Hay que entregarlo casi todo de una vez.*

—*He estado muy ocupado preparando mis exámenes.*

Un alumno necesita ayuda en su trabajo de composición.

4. —Tengo que escribir un ensayo sobre [Bolívar]. ¿Dónde puedo conseguir información acerca de (él)?

   —Vaya a la biblioteca./El bibliotecario puede darle una buena bibliografía.

Se le pregunta a un alumno si tiene que pagar matrícula.

5. —¿Paga usted matrícula?

   —*No, tengo una beca en la universidad.*

—*Sí, pago 200 pesos por semestre.*

Un estudiante pide ayuda a su profesora.

6. –¿Me permite, [señorita González]? ¿Le puedo hacer una pregunta después de clase?

–Por supuesto, véame después.

–Seguro. Venga a mi oficina.

7. –¿Puede usted ayudarme con mi tarea?/No la entiendo.

–Ahora estoy ocupada. ¿Puede regresar dentro de [media hora]?

–Sí, cómo no.

Dos alumnos que asisten al mismo curso conversan sobre los exámenes.

8. –*¿Cuál es la fecha de* nuestro examen final?/Debo empezar a estudiar.

–¿Cuándo es . . . ¿Es pronto . . .

–No estoy seguro. Tengo que averiguarlo./Te lo diré mañana.

–No recuerdo. Lo he olvidado. No lo sé. Pregúntaselo a Enrique.

9. –Saqué [cien] en mi examen. ¿Cuánto sacaste tú?

–Solamente [setenta]./No tuve mucho tiempo para estudiar.

–Saqué [cien] también. Creo que pasé el examen. Creo que no salí muy bien.

Un funcionario de la escuela habla a un nuevo alumno.

10. —¿Cuándo se graduó de [bachiller]?

—Me gradué en [1974].

—¿En qué fecha terminó su educación primaria?

—El [veintiuno de septiembre] de *1970.*

1968	*1969*	*1964*	*1963*

Un alumno solicita un formulario y un catálogo de la universidad.

11. —¿Me puede facilitar un formulario de solicitud de admisión a la universidad? ¿Me puede dar también un catálogo?

—Por supuesto. Aquí tiene el formulario y el catálogo con toda la información.

—¿A qué facultad desea usted ingresar?

Dos personas hablan acerca del libro que una de ellas ha leído.

12. —Acabo de terminar de leer un libro sobre [Gandhi].

—¿Qué tal está?

—Muy interesante. [*Ghandi*] *fue un gran hombre.*

—Muy interesante, pero no muy bien escrito.

Alguien invita a un amigo a una conferencia.

13. —Voy a una conferencia. ¿Quieres venir conmigo?

—¿Cuál es el tema de la conferencia?

—La explosión científica.

La literatura moderna. El arte moderno. La paz. Los impresionistas. El desarrollo de Latinoamérica.

Una persona pide informes a otra sobre la escuela.

14. —¿Asiste usted a esta escuela?

—Sí, asisto.

—¿Viene usted por la mañana?

—Sí, por la mañana. ¿Y usted?

—Yo vengo por la tarde.

Dos alumnos van a clase juntos.

15. —¿Adónde vas?

—A mi clase de *español.*

arte	*literatura*	*física*	*química*	*biología*

—Yo también. Vamos juntos.

—Voy contigo. Espérame.

Dos alumnos conversan sobre las asignaturas que cursan.

16. —¿Cuántas asignaturas llevas? Llevo sólo dos este semestre.

—Yo llevo español, inglés, matemáticas e historia.

Un alumno pregunta a otro sobre su tarea.

17. —¿Hiciste la tarea de [español]?

—Traté de terminarla, pero no pude./Es muy difícil. ¿Y tú?

—Yo tampoco la terminé.

Dos jóvenes se refieren a sus profesores.

18. —¿Cómo te va este semestre? Oí decir que tu profesor de español es muy bueno.

—Sí, así opina toda la clase./Me iba mal, pero ahora él me está ayudando a ponerme al día con trabajo adicional./Tengo clases tres veces a la semana de las [tres y media] a las [cuatro y media]. Voy mejorando en lectura.

El profesor de español ofrece ayuda a un alumno.

19. —Si no pasa su examen final de español este año, no se podrá graduar.

—¿Quiere decir que debo aprobar la asignatura para graduarme?

—¡Por supuesto! El español es una materia obligatoria./Si lo desea, puedo ayudarle a repasar para que apruebe el curso en [junio].

—Me alegro de haber hablado con usted esta tarde./Me será muy provechosa su ayuda. Muchas gracias.

Dos alumnos universitarios se refieren a los cursos de literatura española.

20. —¿Piensas ir este verano a la universidad?

—Creo que sí. ¿Y tú?

—Yo también.

—¿Qué cursos piensas tomar?

—El de literatura comparada. Me gusta mucho todo lo que sea literatura.

—A mí también. Estoy pensando tomar un curso sobre [Cervantes].

—Eso parece interesante. Quizá lo incluya en mi programa de verano.

—Estoy seguro que te gustará. El curso lo enseña [el profesor Jiménez].

—Eso me hace decidirme. Tomé otro curso con [él]. ¡Es [un profesor magnífico]!

Dos alumnos hablan sobre tareas de composición.

21. —¿Qué escribes?

—Un ensayo sobre el idioma.

—¿Tienes necesariamente que escribir sobre eso?

—Sí, fue el tema que me asignaron.

—¿Cuándo debes entregarlo?

—Mañana por la tarde.

—¿Tienes una buena profesora?

—Sí, es buena, aunque muy estricta.

—Me alegro de no tener que escribir muchos ensayos para mi clase de español.

—¿Por qué? ¿No les asignan tareas a Uds.?

—La profesora dice que no entiende nuestra letra, y por eso no nos exige muchas tareas escritas.

—¡Qué suerte!/Voy a garabatear este ensayo y así quizá la profesora no nos dé más tareas de este tipo.

Diálogos espirales

1. —¿Le gusta leer?

   —Sí, sí me gusta.

   —¿Le gusta leer? Veo que tiene tres libros allí.

   —Debe leer mucho.

   —Sí, me gusta mucho leer.

   —Lleva usted una buena cantidad de libros. Veo que todos son de biografías. ¿Le gustan las biografías?

   —Sí, me gustan mucho./Las encuentro muy interesantes. ¿Le gustaría ver esta biografía de [José Martí]?

2. —¿Adónde va usted?

   —Voy a la escuela.

   —¿Cuál escuela es la suya?

   —La escuela [Bernardo O'Higgins].

   —¿Adónde va usted?

   —Voy a la escuela. Tengo que estar allí a las [ocho y media].

   —Parece tener prisa.

   —Si llego tarde, tengo que quedarme después de la hora de salida.

   —¿A qué escuela va?

   —A la escuela [Bernardo O'Higgins].

—¿Adónde va usted?

—Voy a la escuela. Tengo que estar allí a las [ocho y media].

—Parece tener prisa.

—Si llego tarde, tengo que quedarme una hora después de la salida.

—¿A qué escuela asiste?

—A la escuela [Bernardo O'Higgins]. Estoy en el [sexto] grado.

—¿Qué estudia ahora?

—Los diversos aspectos del gobierno municipal. Mañana vamos al ayuntamiento.

—Espero que les guste.

—Gracias, hasta luego.

3. —¿Me prestas tu [pluma]?

—¡Cómo no! Aquí está.

—Gracias.

—De nada.

—¿Me prestas tu [pluma]? Dejé (la mía) en casa.

—Aquí está. Me (la) devuelves, por favor, cuando termines.

—Tan pronto como acabe de copiar la tarea, te (la) devuelvo.

—Está bien.

—Bueno, aquí está tu [pluma]. Muchas gracias.

—De nada.

—¿Me prestas tu [pluma]? Dejé (la mía) en casa y no tengo con qué escribir.

—Aquí está. Devuélveme(la) cuando termines. (La) necesito esta tarde.

—¿Qué vas a hacer esta tarde?

—Tengo que presentarme a un examen y hay que escribir con pluma, y no con lápiz.

—En cuanto termine te (la) devuelvo para que no te falte a la hora del examen.

—Bueno. Gracias.

—Aquí tienes tu [pluma]. Muchas gracias.

—No hay de qué.

LA FAMILIA Y EL HOGAR

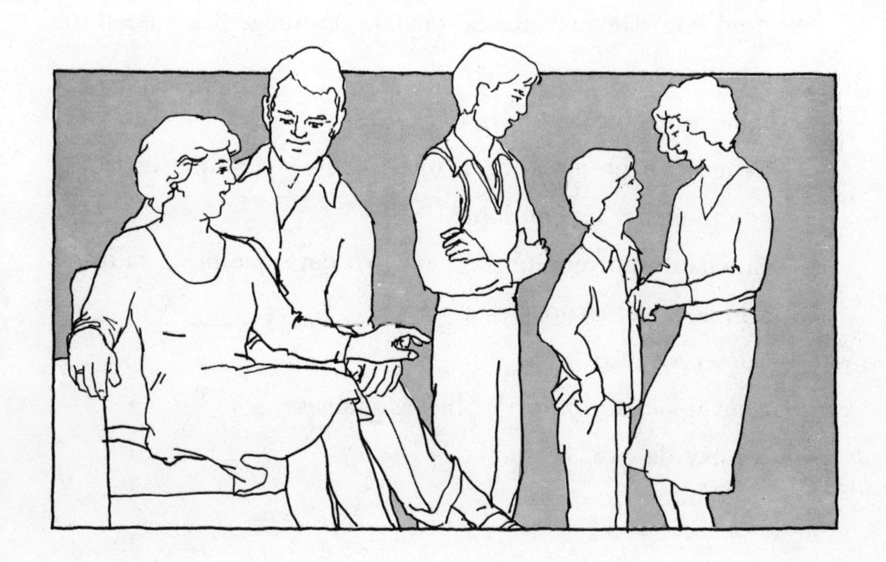

la familia

Diálogos breves

En las conversaciones siguientes (1-10), se habla de la familia.

1. —¿Tiene usted hermanas?

   —Sí, tengo una hermana.

2. —¿Tiene usted hermanos?

   —No, no tengo.

   —Sí, tengo tres hermanos.

3. —¿Cómo se llama su hermano?

—[*José*].

—¿Cuál de ellos?

4. —Ésta es mi hermana, [Perla].

—Es muy graciosa. ¿Cuántos años tiene?

—[*Cinco*] *años.*

—Tiene [tres] años menos que [Susana].

5. —¿Están tus hermanos en casa?

—No, están en la escuela.

—Sí, están en la sala.

6. —¿Quién te va a llevar al cine?

—Mi [*padre*].

—Nadie. Voy sola.

7. —¿Qué hace tu madre?

—Quehaceres domésticos.

—Es ama de casa.

8. —¿En qué trabaja tu hermano?

—Tiene un pequeño negocio.

—Es [carpintero].

9. —Mi [tío] acaba de regresar de [Europa].

—¿Cuánto tiempo ha estado allá?

—Cerca de dos meses.

—No estoy seguro. Quizá un año.

10. —Visité a mi [tío Juan] esta mañana.

—¿Dónde? ¿En su casa?

—No, en su oficina.

Diálogos sostenidos

Un profesor pregunta algo a un niño.

1. —¿Cómo se llama tu padre, [Julio]?

—Se llama [Julio] también.

—¿Está tu padre en casa ahora?

—No, está trabajando.

—¿Qué trabajo hace?

—Trabaja en [una pescadería]./Él [limpia el pescado].

—¿Está [la pescadería] cerca de la escuela?

—No, está en el centro de la ciudad./Tiene que ir al trabajo en [autobús].

Un joven encuentra a un coterráneo.

2. —Discúlpeme. ¿No es usted el [señor López]?

—Sí, mi apellido es [López].

—Usted es de [Asunción], ¿verdad?

—Sí, soy de [Asunción].

—Me llamo [José Fernández]. Creo que usted conoce a mi madre.

—¿Cómo se llama su madre?

—Se llama [María Prieto de Fernández].

—¡Claro que la conozco! ¿Cómo está ella?

—Está muy bien, gracias.

—¿Y su padre?

—Él también está bien.

—Permítame presentarle a mi esposa.

—Encantado de conocerla, [señora de López].

—Mucho gusto, [señor Fernández].

3. —¿Tiene usted un hermano?

—Sí, tengo un hermano.

—¿Vive aquí?

—No, vive en [Buenos Aires].

—¿Trabaja?

—Sí, en [una empacadora de carne].

4. —¿Tiene usted hermanos y hermanas?

—Tengo dos hermanos, pero no tengo hermanas.

—¿Dónde viven sus hermanos?

—En [Buenos Aires].

—¿Están casados?

—No, no están casados; pero uno de ellos está comprometido.

—¿Trabajan?

—Sí, uno de ellos es [mecánico] y el otro trabaja en [una empacadora de chorizos].

alojamiento y viviendas

Diálogos breves

Alguien busca donde vivir.

1. –¿Alquila usted *una habitación*?

un apartamento	*un piso*	*un cuarto*	*una buhardilla*

–Sí, tengo una.

–Lo siento, pero no hay nada disponible.

Uno puede alquilar o ser dueño de una casa.

2. –¿Es de ustedes esta casa?

–No, la hemos alquilado.

–Sí, la compramos hace un año.

Generalmente cuando la gente se muda, se le pregunta si le gusta la nueva vivienda.

3. —¿Están cómodos en su nuevo apartamento?

   —Sí, nos gusta mucho. Está muy bien situado y cerca de todo.

4. —¿Qué tal su nuevo apartamento?

   —No estoy muy contenta. Nuestros vecinos tienen [siete] niños que hacen mucho ruido.

   —Me gusta mucho. Hay menos ruido que en el que teníamos antes.

5. —Nos acabamos de mudar a un apartamento nuevo.

   —¿Les gusta?

   —Está bastante bien.

Alguien necesita un apartamento.

6. —¿Cómo puedo conseguir un apartamento por aquí?

   —Puede buscar en el periódico o ir a una agencia.

   —Hay un apartamento vacío al lado.

Alguien pregunta sobre un cuarto que se alquila.

7. —Buenos días. Mi nombre es [Juan Pérez]. ¿Alquila Ud. un cuarto?

   —Sí, alquilo uno. Cuesta [cien] pesos a la semana. ¿Le gustaría verlo?

   —No. Lo siento. Alquilé el último hace una hora.

El alquiler del apartamento, el contrato y el depósito son importantes.

8. –Este apartamento se alquila por doscientos pesos al mes.
   –¿Hay que firmar contrato?
   –Sí, hay que firmar un contrato por [dos años].

9. –¿Cuáles son las condiciones?
   –[Un mes] de alquiler y [uno] de depósito. Se le reembolsa el depósito cuando se muda.

Una pareja hace una cita por teléfono para ver unos apartamentos amueblados.

10. –¿Tiene usted un apartamento amueblado para alquilar?
    –Sí, tengo varios.
    –¿Podemos hacer una cita para verlos?
    –Por supuesto. ¿Qué tal a las [dos] de la tarde?
    –Sí, pueden venir a cualquier hora.

Dos estudiantes universitarios hablan.

11. –¿Vives en la universidad?
    –No, tengo una habitación amueblada en una casa de familia.

12. –¿Vives solo?
    –No, tengo dos compañeros.
    –Sí, prefiero vivir solo.

Muy poca gente tiene su propio dormitorio.

13. —¿Es este dormitorio para ti solo?

—¡No, qué va! Lo comparto con mis [tres] [hermanos].

Alguien admira el jardín de una casa.

14. —Tiene usted un jardín muy hermoso.

—Gracias. Nos cuesta mucho trabajo mantenerlo así.

Dos personas comparan la vida de la ciudad con la del campo.

15. —¿Te gusta vivir en una ciudad grande?

—No, prefiero vivir en un pueblo pequeño.

—Sí, me gustan la muchedumbre y las grandes tiendas.

Alguien pregunta a un amigo acerca de sus nuevos vecinos.

16. —¿Conoces a los nuevos vecinos?

—Todavía no. Acaban de llegar ayer.

—Sí, los saludamos [esta mañana].

Diálogos sostenidos

Alguien pregunta por una habitación en un hotel.

1. —Quiero una habitación sencilla con baño. Solamente por esta noche.

—Lo siento, no tenemos ninguna habitación disponible./ Quizá el hotel de enfrente tenga una.

—Tengo una habitación muy buena en el tercer piso.

Una familia llega a un hotel.

2. –Tengo una reservación aquí.

–¿Cómo se llama usted, por favor?

–[Juan González].

–Sí, aquí está su reservación. [Cuatro] personas. Les hemos reservado dos habitaciones que se comunican.

–Gracias./Por favor, ¿podría alguien ayudarnos con el equipaje?

Un huésped de un hotel pregunta por su correspondencia.

3. –Soy [Juan González] de la habitación [502]. ¿Hay correspondencia para mí?

–Un momento, por favor. Permítame ver su casilla./Sí, aquí tiene una carta y una tarjeta postal.

–No, [señor González]. No tiene usted nada hoy.

El cartero entrega la correspondencia a domicilio.

4. –Por favor, abre la puerta. Puede ser el cartero.

–Tenías razón. Era el cartero. Aquí hay [dos] cartas para ti.

Una señora va a ver un apartamento.

5. –Soy la [señora de González]. Me gustaría ver el apartamento que alquilan. ¿En qué piso está?

–Está en el *cuarto* piso. Ahí está el ascensor.

primero	*segundo*	*quinto*	*sexto*	*octavo*

–¿Es un apartamento con vista a la calle?

–No, es un apartamento interior.

–Bueno, lo prefiero así. En los otros hay mucho ruido.

Alguien desea conseguir un piso en un edificio de apartamentos.

6. —¿En qué puedo servirle?

   —Me gustaría conseguir un apartamento aquí.

   —Tome este formulario de solicitud. Llénelo y fírmelo.

   —¿Debo escribir con tinta?

   —Por supuesto. Y debe devolverlo dentro de [cinco] días.

   —Muchas gracias por su ayuda.

Alguien se queja de un apartamento.

7. —Éste es un apartamento malísimo. La pintura se está cayendo y el lavabo y la estufa son anticuados.

   —Es verdad, pero recuerde que está cerca de [la parada del autobús].

Un señor piensa que los apartamentos son muy caros.

8. —¿Cuánto es el alquiler aquí?

   —[Quinientos pesos] mensuales, señor.

   —Eso es muy caro. ¿Tiene algo más barato?

   —No. Lo siento./Ése es el apartamento más barato.

Diálogo espiral

—¿Tiene una habitación para esta noche?

—¿Tiene usted reservación?

—Sí, llamé por teléfono [ayer].

—¿Cómo se llama usted, por favor?

—[Teodoro Huerta].

—Sí, tenemos una habitación para usted, [señor Huerta].

—Tengo una habitación reservada para esta noche. Me llamo [Teodoro Huerta].

—Un momento, por favor. Voy a revisar la lista.

—Reservé una habitación con baño.

—Sí, señor. ¿Quiere firmar el libro de registro, por favor?

—Gracias. ¿Puede ayudarme un botones?

—No he hecho reservación. ¿Tiene usted una habitación disponible? Me gustaría una habitación con vista a la calle y con baño.

—¿Cuánto tiempo piensa quedarse aquí?

—No estoy seguro; por lo menos tres días.

—Le puedo dar una habitación con baño por esta noche, pero mañana tendremos que cambiarlo.

—Bueno, no importa.

—El botones le mostrará su habitación. Es la [doscientos nueve].

las comidas

Diálogos breves

Un joven le dice a su madre que tiene hambre.

1. —Tengo hambre, [mamá].

   —*Lo siento. La cena no está lista todavía.*

—*Hay pan en la panera.*

Dos hermanos hablan.

2. —Tengo sed.

   —*¿Por qué no tomas un vaso de agua?*

—*¿Qué te gustaría, agua o leche?*

Alguien ofrece un bocadillo a un visitante.

3. –¿Qué estás haciendo?

   –*Preparándome un bocadillo.* / *¿Quieres uno?*

–*Me estoy preparando una taza de café.*

Una persona se ha comido un emparedado y le ofrecen otro.

4. –¿Quieres otro emparedado de [jamón]?

   –*Creo que sí. No sé por qué tengo tanta hambre.*

–*No, gracias. Éste es suficiente.*

Todos están de acuerdo en que el helado es bueno.

5. –Este helado está delicioso, ¿verdad?

   –*Sí, está riquísimo. Y el de [vainilla] es mi preferido.*

–*Sí, está muy cremoso.*

Alguien quiere saber qué es lo que otra persona bebe.

6. –¿Qué es lo que bebe Ud. al mediodía?

   –*Leche.*

Vino. *Café.* *Té.* *Soda.* *Agua.* *Cerveza.*

Alguien pregunta a otra persona si ha almorzado.

7. –¿Almorzó ya?

   –*No, todavía no.*

–*Almorcé hace [una hora].*

A alguien le gustó el [pastel] que acaba de comer.

8. —¡Qué [pastel] tan rico!

   —Sí, es el mejor [pastel] que he comido.

   —Sí, mi mamá es muy buena cocinera.

Un muchacho no desea comer más.

9. —[Jaime], ¿por qué no te sirves más papas?

   —[*Mamá*], *no puedo comer un bocado más.*

   —Gracias, no tengo mucho apetito.

A alguien le gustó la cena de la noche anterior.

10. —La cena de anoche estuvo deliciosa.

    —Supongo que comiste *carne asada a la parrilla.* Sé que es tu comida preferida.

    pollo frito *ternera empanizada* *hígado con cebolla* *cordero asado*

Una madre habla a su hijo [o una esposa a su esposo].

11. —Hice un pastel para ti.

    —¿De qué clase?

    —De chocolate con nueces.

Diálogos sostenidos

Dos señoras hablan de sus recetas de cocina.

1. —¿Te gusta la pastelería?

   —Sí, me encanta.

—¿Qué te gusta preparar?

—Tortas y pasteles.

—¿Cuál es tu pastel preferido?/Yo siempre estoy buscando recetas nuevas.

—Mi pastel de chocolate parece gustar mucho.

—¿Usas chocolate o cacao en polvo para hacerlo?

—Prefiero usar cacao en polvo./Te daré la receta si la quieres.

La señora de la casa pide a alguien de la familia que ponga la mesa.

2. —La familia [Pérez] viene a cenar. ¿Me ayudas a poner la mesa, por favor?

—Por supuesto. ¿Vamos a usar el mantel [*de encaje*]?

lino plástico algodón floreado bordado

—Sí, y la vajilla azul.

—¿Y qué vasos?

—Los de cristal que están en el aparador.

—Usaremos los que están guardados en la alacena.

Diálogos espirales

1. —Tengo hambre.

—Vamos a comer.

—Tengo mucha hambre y sed.
—Vamos a comer ahora mismo.

—Tengo hambre. No he comido desde esta mañana.
—¿Te gustaría comer en un restaurante?

—Tengo un hambre canina. ¿Cuándo comemos?
—Cuando termines tu tarea y te laves las manos, cenaremos.

—Estoy muriéndome de hambre. No he comido nada desde esta mañana. Creo que me voy a desmayar si no como.
—Nosotros también nos estamos muriendo de hambre, pero tenemos que esperar a que el camarero nos consiga una mesa.

2. —¡Qué hambre tengo!
—Yo también. Me gustaría comer ahora mismo.

—¡Qué hambre tengo! Me gustaría [desayunar] ahora mismo.
—Yo también tengo hambre. ¿Qué te gustaría comer?
—Me gustaría comer [unos huevos rancheros].

—¿Tienes hambre?
—Sí, tengo hambre. Me gustaría [desayunar] ahora mismo.
—¿Qué te gustaría comer?
—Quiero [unos huevos rancheros].

—Es hora de [desayunar] y tengo hambre.

—Yo también. ¿Qué vas a comer?

—[Huevos] o [cereal]. ¿Y tú?

—[Cereal] y [café].

—¿Te gustaría desayunar ahora mismo?

—Sí, tengo hambre. ¿Qué hay para el desayuno?

—Estoy preparando [huevos] y [café].

—Bueno. Me gustaría un par de [huevos revueltos] y [una taza de café].

rutina diaria

Diálogos breves

En las siguientes conversaciones (1-6), se habla de la rutina de todos los días.

1. –¿A qué hora *te acuestas*?

te levantas *desayunas* *comes* *vas al trabajo*

–A la(s) *ocho.*

nueve *siete y cuarto* *medianoche*

2. –¿A qué hora te levantas?

–Generalmente a las *siete y cuarto.*

cinco y media *siete* *siete y quince* *ocho* *ocho y cuarto*

3. –¿A qué hora desayunas?

–A las [siete] los días de trabajo.

4. —¿A qué hora llegas a la escuela?

—Siempre llego a las [nueve menos veinte].

—Justo para mi primera clase.

Una señora conversa con otra acerca de compras.

5. —¿Cuándo va Ud. de compras, [señora Morales]?

—Los miércoles por la tarde.

—Los viernes por la tarde.	*—El sábado por la mañana.*

El domingo es día de descanso en muchos países.

6. —¿Qué hace usted el domingo?

—Me levanto tarde, desayuno despacio, leo el periódico y salgo a caminar un poco.

Diálogos sostenidos

Alguien pregunta a un amigo cómo pasa el día.

1. —¿Cómo pasa el día, por lo general?

—Por lo general, me levanto a las [siete]. Me [baño], me [visto] y tomo mi desayuno a las [siete y treinta]. Salgo de casa a las [ocho]; trabajo de las [nueve] a las [cinco]. Ceno a las [nueve], [veo la televisión un rato] y me acuesto.

Se le pregunta a una persona cómo pasa los fines de semana.

2. —¿Cómo pasa usted los fines de semana?

   —En el verano, voy al parque. En otras épocas del año, arreglo cualquier cosa en la casa o [pinto]. [Pintar] es mi pasatiempo favorito.

Una persona se queja de que no puede dormir.

3. —No dormí bien anoche. Vine a coger el sueño a eso de las [dos].

   —¿Tomaste mucho café antes de acostarte?

   —No, tengo preocupaciones económicas.

   —Sí, me tomé dos tazas a las [once].

la salud

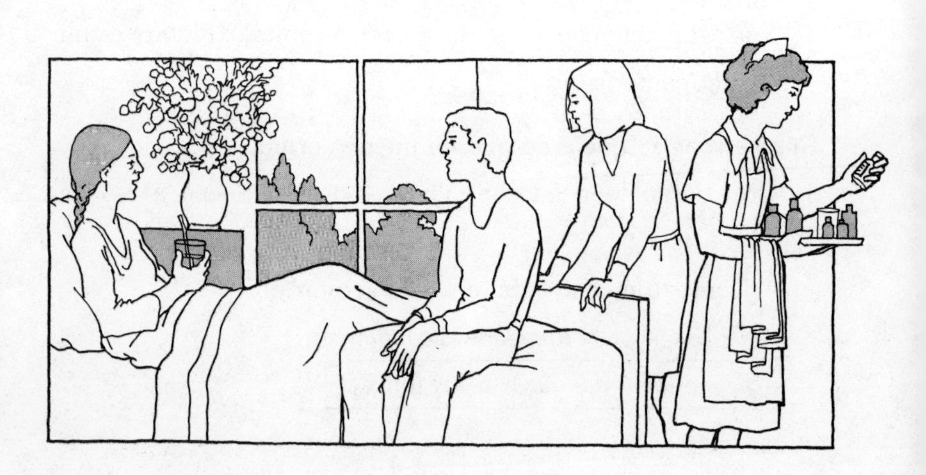

Diálogos breves

Cuando la gente se encuentra, la cortesía es recíproca.

1. —¿Cómo estás?

   —Muy bien, gracias. ¿Y tú?

   —Estoy muy bien, gracias.

Se le pregunta a una persona sobre su salud.

2. —Buenos días. ¿Cómo se siente hoy?

   —Mucho mejor, gracias.

   —Me siento bien ahora, muchas gracias.

Se le pregunta a alguien por la salud de un familiar.

3. —¿Cómo está tu [madre] hoy?

   —No muy bien. Está aún guardando cama.

   —*¡Cuánto lo siento!*

   —*Espero que se mejore pronto.*

   —Gracias.

Alguien parece desmejorado.

4. —¿Qué te pasa? No te ves bien hoy.

   —*Tengo dolor de muela.*

   —*No dormí bien anoche.*

Un profesor pregunta a un alumno la razón de su ausencia.

5. —¿Por qué faltó ayer?

   —Tuve que ir al médico.

Un alumno habla con su profesor.

6. —¿Me puede dar permiso para salir temprano hoy? Tengo que ir al dentista por la tarde./Tengo un fuerte dolor de muela.

   —Por supuesto. Le daré un pase firmado.

Dos adultos hablan de la enfermedad de la esposa de un amigo.

7. —La esposa de [Juan] está enferma todavía.

   —¿Es de gravedad?

   —*No, ya va mejorando.*

   —*Me temo que sí.*

Una joven ha tenido un accidente.

8. —¿Qué le sucedió a [Estela]?

—Se cayó y se rompió [un brazo].

—Tuvo un accidente de automóvil.

A alguien no se le oye bien.

9. —¿Quiere hablar más alto, por favor? Casi no le oigo.

—Lo siento. Tengo laringitis.

—Sí, cómo no. ¿Puede oírme mejor ahora?

Alguien le dice a un amigo lo que hace para mantenerse en buenas condiciones físicas.

10. —¿Qué clase de ejercicio haces?

—Camino casi [*dos*] *kilómetros al día, de mi trabajo a la casa y viceversa.*

—Juego un partido de tenis todos los fines de semana.

Alguien no asistió a un [partido] por enfermedad.

11. —¿Fuiste [al partido de fútbol] esta tarde?

—No, estaba enfermo y me quedé en casa.

—Lo siento.

—¡Qué lástima! Te perdiste algo bueno.

—¿Qué tenías?

Muchas medicinas no se pueden adquirir sin receta médica.

12. —¿Se puede comprar [penicilina] sin receta?

—No, *se requiere* la receta médica.

necesita	*hay que tener*	*debe presentarse*

Diálogos sostenidos

Alguien va a ver al médico para un reconocimiento.

1. —No me siento bien, doctor. Me duele todo el cuerpo.

   —*Déjeme reconocerlo./Pase al consultorio, por favor.*

—*¿Cuándo empezó a sentir esos dolores?*

Un médico está examinando a un paciente.

2. —¿Le duele cuando le toco aquí?

   —Sí, mucho, doctor.

   —¿Se puede inclinar un poco, por favor?

   —*Sí, pero me duele mucho cuando lo hago.*

—*No muy bien./Me duele mucho.*

Una madre llama al médico para consultarle sobre los dolores que siente su hijo.

3. —¿Puedo hablar con el doctor? Es urgente. Soy la [señora de Fernández].

   —Sí, [señora de Fernández].

   —Mi hijo llora mucho y tiene mucho dolor. Creo que es el [apéndice] de nuevo.

   —Puede ser. Por favor, llévelo al hospital ahora mismo./ Nos vemos allí.

Una persona con dolor de muela va a consultar al dentista.

4. —Doctor [Gómez], tengo un dolor espantoso. Me duele toda la cara.

   —Vamos a ver. Abra la boca. Humm, aquí tiene una carie.

—¿Tendrá que extraer la pieza, doctor?

—Me temo que sí.

Un profesor está hablando con un alumno adulto.

5. —Buenas tardes, [señor Pedroso].

—Buenas tardes, [profesor Peña].

—¿Cómo está usted?

—Bien, gracias.

—Lo echamos de menos ayer. ¿Estaba usted enfermo?

—Gracias. Me hallaba resfriado.

—Me alegro de que esté mejor.

—Gracias.

Dos alumnos hablan de una amiga que ha tenido un accidente.

6. —¿Has visto a [María]? No está en la escuela.

—Creo que pasará mucho tiempo antes de que vuelva.

—¿Por qué dices eso?

—Porque sufrió un accidente.

—¿Qué le sucedió?

—El auto que ella conducía fue golpeado por otro.

—¡Qué barbaridad! ¿Puede recibir visitas?

—Creo que sí. Llamaré al hospital y preguntaré.

El médico visita a un paciente en su casa.

7. —Buenos días, [señor Torres]. ¿Qué le pasa?

—Me siento muy mal, doctor.

—¿Qué siente?

—Tengo un fuerte [dolor de garganta]; y también me duele la cabeza.

—¿Ha estado tosiendo y estornudando mucho?

—Estoy tosiendo mucho, pero no estoy estornudando.

—Déjeme ponerle el termómetro. Quiero ver si tiene fiebre. Veamos. Sí, tiene fiebre.

—¿La tengo muy alta?

—No, no mucho. Aquí tiene una receta. Mande a alguien por estas medicinas a la farmacia. Quédese en cama y descanse./Tome té caliente, y el [lunes] próximo venga a mi consultorio.

Diálogos espirales

1. —Mi [madre] está enferma.

   —¿Qué le pasa?

   —Mi [madre] estaba enferma esta mañana.

   —¿Qué le pasa? [¿La gripe?]

   —Mi [madre] estaba enferma esta mañana cuando salí de casa.

   —¿Qué le pasa? ¿Llamó usted al médico?

   —Mi [madre] estaba enferma esta mañana y llamé al médico.

—¿Qué le pasa? ¿Qué dijo el doctor que tenía?

—Mi [madre] estaba enferma esta mañana y llamé al médico. Cuando salí de casa aún no había llegado.

—¿(La) llamó usted después para ver si el médico había llegado?

2. —¿Se siente usted mejor? Sentí mucho saber que estaba enfermo.

—Gracias por su amabilidad. Ya estoy mucho mejor.

—¿Se siente usted mejor? Sentí mucho saber que estaba enfermo. Espero que no haya sido nada serio.

—Ya me siento mejor, gracias. Afortunadamente, no fue nada serio.

—¿Se siente usted mejor esta semana? Siento que haya estado enfermo. ¿Fue algo serio?

—Me dio [el sarampión], pero no muy fuerte. Estoy completamente restablecido. A propósito, muchas gracias por su tarjeta.

—Pensé que le agradaría recibirla.

—Me alegro que haya mejorado tan pronto. Se ve mucho mejor ahora. ¿Cómo se siente?

—Me siento mucho mejor, gracias. No era nada serio, pero me dio gusto recibir su tarjeta. ¿Se atrasó mucho mi trabajo mientras estuve ausente?

formas de diversión

Diálogos breves

A la gente le gusta hacer diversas cosas en sus ratos libres.

1. —¿Tiene usted algún pasatiempo?

   —Sí, me gusta coleccionar *estampillas* de todas partes del mundo.

postales	*conchas marinas*	*relojes*	*muñecas*	*monedas*

2. —¿Cuál es su pasatiempo?

   —Me gusta *hacer muebles.*

tocar la guitarra	*tocar el piano*	*bailar*	*cantar*	*leer*
hacer crucigramas				

3. —¿Le gusta ver la televisión?

—*Sí, me gusta mucho.*

—*No tengo televisor.*

—*No mucho.*

Dos estudiantes conciertan una cita para después de clase.

4. —¿Qué vas a hacer después de clase?

—Nada.

—Vamos a visitar a *González.*

Rodríguez	*Torres*	*Núñez*	*Báez*	*Villegas*

—¿Qué vamos a hacer allí?

—Podemos [escuchar música clásica] o [ver televisión] o [conversar].

Un amigo le dice a otro que no pueden escuchar música.

5. —No podemos escuchar música.

—¿Por qué? ¿Está durmiendo [el niño]?

—No, el tocadiscos está descompuesto.

—*¡Qué lástima!*

—*Quizá pueda arreglártelo.*

—*¿Tienes radio?*

Alguien habla de un concierto que ha escuchado.

6. —Esta mañana hubo un magnífico concierto en la estación [WMEX].

—*Yo también lo escuché. Magnífico, ¿eh?*

—*¿De veras? Siento no haberlo oído.*

Un joven fue a un [concierto] con sus padres.

7. —¿Con quién fuiste al [concierto]?

   —Fui con mis padres. Me gustó mucho una de las piezas que oí. Tenía varias partes para trompetas y timbales.

Una persona invita a otra a cenar.

8. —¿Puede venir a cenar el *martes* por la noche?

miércoles	*lunes*	*sábado*	*domingo*

   —Déjeme ver si tengo algún compromiso. Sí, puedo ir ese día.

   —¡Magnífico! (Lo) espero a las *ocho y media.*

nueve	*nueve y media*	*diez*	*once*

Un instrumento musical aumenta la alegría de una fiesta.

9. —Voy a llevar mi *mandolina* a la fiesta de esta noche.

guitarra	*violín*	*tambor*	*acordeón*

   —Yo también toco *la mandolina.* ¿Podría tocar *la tuya?*

   —Por supuesto.

ropa

Diálogos breves

En los diálogos siguientes (1-6), algunas personas admiran la ropa de otras.

1. –¡Qué bonit(o) *vestido* llevas!

abrigo	*estola*	*suéter*	*sombrero*	*blusa*

   –Gracias. Está a tu disposición.

2. –Tengo unos zapatos *rojos* nuevos.

azules	*blancos*	*negros*	*de charol*

   –Me gustaría verlos. ¿Me los enseñas?

   –Por supuesto. Son preciosos.

3. –Me gusta su *traje*.

sombrero	*abrigo*	*vestido*	*bufanda*	*suéter*	*corbata*

   –Gracias. Es nuev(o).

4. —Su [vestido] es precios(o).

—Gracias.

5. —Tu [vestido] es precios(o). El color [azul] te sienta muy bien.

—Es mi color favorito. Me alegro que te guste.

6. —El vestido de [Juanita] es muy *bonito.*

llamativo *moderno* *elegante*

—A mí no me gusta. [El negro] es un color deprimente.

Un amigo pide prestada una prenda de ropa.

7. —¿Por casualidad tienes otr(o) *pañuelo?*

corbata *bufanda* *suéter* *abrigo*

—Sí, cómo no.

Un niño no puede encontrar ropa interior limpia.

8. —Mamá, ¿dónde está mi [ropa interior limpia]?

—Está en la *última* gaveta de la cómoda.

primera *segunda* *tercera*

Diálogos sostenidos

Dos amigas conversan sobre su ropa de verano.

1. —La ropa de [algodón] es fresca en verano, ¿verdad?

—Sí, muy fresca.

—Creo que compraré un vestido de algodón.

—Buena idea. Yo tengo *tres.*

varios *cuatro* *unos pocos*

Escoger el vestido para una fiesta es siempre un problema.

2. –Voy a [un baile] el [sábado] por la noche.

–¿Qué vestido te vas a poner?

–Creo que me pondré este vestido [verde].

–¡Qué lindo!/Me gusta mucho.

Hablan dos muchachas.

3. –Ese vestido es nuevo, ¿verdad?

–Sí, lo tengo desde ayer.

–Me gusta mucho.

–Gracias. Me lo regaló mi tía.

–Es muy bonito. Me gusta el *verde.*

rojo	*plateado*	*anaranjado*	*azul*	*violeta*

–El *verde* es mi color favorito.

Un amigo admira el sobretodo de otro.

4. –Tu sobretodo parece que abriga mucho.

–Sí. Mira, tiene un forro de [piel].

–Me gustaría tener uno igual.

–*¿Por qué no te compras uno?/No es muy caro.*

–Te diré dónde puedes comprar uno igual.

Hablan dos amigas.

5. –Hola, [Juanita]. Me gusta mucho tu vestido.

–Gracias, [Alicia]. Lo compré para mi [cumpleaños].

–¿Es de *seda?*

algodón	*satín*	*tafetán*	*dacrón*

–No, creo que es de [organza].

Hablan dos muchachos.

6. –Hola, [Juan]. Llevas una chaqueta muy bonita.

   –Gracias, [Ramón]. La compré para mi [cumpleaños].

   –¿Es de *lana*?

franela	*casimir*	*piel*	*pana*

   –No, creo que es de [gabardina].

Hablan dos chicas.

7. –Ayer me compré varias blusas para el verano.

   –Si hubiera tenido dinero, habría ido contigo.

   –Si me lo hubieras dicho, te lo habría prestado.

   –Gracias, pero no me gusta deber.

–¡Si lo hubiera sabido!

EMPLEO Y TRABAJO

Diálogos breves

Alguien le pregunta a un joven a qué piensa dedicarse.

1. —¿Qué carrera va a seguir usted?

   —*Pienso estudiar para profesor.*

   —*No lo sé aún.*

Alguien pregunta a una niña sus planes futuros.

2. —¿Qué te gustaría hacer después que te gradúes?

   —*Me gustaría estudiar abogacía.*

   —*Quiero casarme y tener varios hijos.*

Un señor le pregunta a otro dónde trabaja.

3. —¿Dónde trabaja usted, [señor López]?

   —Trabajo en la fábrica de aviones [Douglas].

Alguien quiere conseguir un empleo.

4. —¿Cómo puedo encontrar un empleo?

   —*Puede usted buscar en los anuncios clasificados o ir a una agencia de empleo.*

—*¿Qué clase de empleo buscas?*

Un hombre solicita un empleo.

5. —¿Tienen ustedes algún empleo?

   —¿Qué sabe usted hacer?

   —Soy [mecánico].

   —¿Tiene usted experiencia?

   —Sí, trabajé [dos] años en [un taller].

Un entrevistador pregunta a un solicitante sobre su experiencia de trabajo.

6. —¿Puede usted decirme qué experiencia tiene?

   —He trabajado como *ingeniero* [seis] años.

arquitecto	*pintor*	*piloto*	*mecánico de aviones*

Un solicitante pregunta por el sueldo.

7. —¿Qué sueldo pagan ustedes?

   —Pagamos *dos pesos la hora* y el doble por tiempo extra.

veinte pesos diarios	*ciento diez pesos a la semana*
quinientos pesos mensuales	

Un solicitante pregunta por el horario de trabajo.

8. —¿Cuál es el horario de trabajo?

—*Trabajamos de [nueve a cinco], de [lunes a viernes].*

—*Trabajamos ocho horas diarias y cuatro el sábado.*

Un empleado se queja acerca de la iluminación.

9. —Es muy difícil trabajar aquí. No hay luz suficiente.

—*Un momento. Conseguiré unas bombillas de mayor potencia.*

—*Un momento. Llamaré al electricista.*

Un trabajador cree que hay un error en su cheque.

10. —[Señorita Gómez], ¿puedo hacerle una pregunta? Es acerca de mi *cheque*. Creo que hay un error.

sueldo	*salario*	*tiempo extra*	*aguinaldo*

—Sí, ¿de qué se trata?

Un empleado desea aclarar algo sobre su sueldo.

11. —[Márquez], mi cheque no está correcto. Trabajé [cinco] días, y sólo me están pagando [cuatro].

—Se te pagó por hora. Trabajaste sólo [treinta y dos] horas esta semana.

Constantemente se promulgan leyes para proteger a los trabajadores.

12. —¿Oíste el programa de radio sobre la última ley del trabajo?

—No. ¿A qué hora fue?

—*Anoche,* a las [ocho y media].

Esta mañana   Hoy   Ayer por la mañana

De continuo se inventan nuevas máquinas.

13. —¿Están usando computadoras ya en tu oficina?

—No, todavía no, pero creo que pronto vamos a *tener* una.

alquilar   instalar   usar   conseguir

Mucha gente teme que las máquinas desplacen al hombre.

14. —¿Qué cambios ha traído la automatización?

—*Bueno, para empezar hay menos empleos para trabajadores sin experiencia.*

—No hay que preocuparse. Los buenos trabajadores siempre encuentran empleo.

Muchas madres quieren que sus hijos sean presidentes.

15. —¿Te gustaría llegar a ser presidente?

—*No, ese puesto es de mucha responsabilidad.*

—Ni por todo el oro del mundo.

La medicina, como otras ciencias, tiene muchas especialidades.

16. —Quiero ser médico.

—¿En qué campo le gustaría especializarse?

—Me gustaría ser *pediatra.*

cirujano   dermatólogo   ginecólogo   cardiólogo

Dos muchachas hablan de sus aspiraciones.

17. —¿Decidiste ya lo que vas a ser?

—Siempre he querido ser [enfermera], así que espero ir a la escuela de [enfermeras]. ¿Y tú?

—*A mí me gustaría ser profesora.*

—*No lo sé todavía.*

Alguien pregunta por el número de trabajadores de una [hacienda].

18. —Ésta es una [hacienda] muy grande. ¿Cuántos trabajadores hay aquí?

—Creo que ahora trabajan [siete] hombres.

Dos jóvenes quieren estudiar y trabajar.

19. —Me gustaría trabajar sólo algunas horas.

—Necesitarás un permiso especial.

20. —¿Puedo obtener un empleo en mis horas libres?

—Claro que sí. Hay una lista en el boletín de la escuela.

Diálogo sostenido

Alguien solicita un empleo.

—¿Tiene usted un empleo para un [operario de computadoras]? Tengo [tres] años de experiencia.

—¿Dónde trabajó usted?

—Trabajé con la [Compañía del Pacífico]. ¿Pueden ustedes emplearme?

—Necesito alguien que haya trabajado en [catalogación y programación]. ¿Tiene alguna experiencia en eso?

—Es exactamente lo que sé hacer.

Diálogo espiral

Alguien quiere conseguir un empleo.

—Quiero trabajar.

—¿Qué sabe hacer?

—Quiero trabajar en una oficina.

—¿Qué sabe hacer? ¿Sabe mecanografía?

—Quiero trabajar en una oficina pequeña.

—¿Qué sabe hacer? ¿Sabe mecanografía y trabajo general de oficina?

LA COMUNICACIÓN CON OTROS

Diálogos breves

En los siguientes diálogos (1-4), se pregunta a varias personas el número de su teléfono.

1. —¿Tiene usted teléfono, [señor Jiménez]?

   —No, pero mi *vecino* tiene. Su número es el [5-14-28-80]

padre	*primo*	*hermano*	*casero*

2. —¿Tiene usted teléfono en su casa, [José]?

   —Sí, sí tengo.

3. —¿Cuál es su teléfono?

   —Es el [5-48-67-90].

4. —¿Cuál es el teléfono de su oficina, [señor Hidalgo]?

   —Es el [5-60-49-39], extensión [278].

Alguien hace una pregunta a la sección de información telefónica.

5. —Me gustaría saber el número de [los Almacenes Consolidados] de [la Avenida de las Américas].

   —El número es [5-10-10-11].

Una persona tiene dificultades para hacer una llamada telefónica.

6. —Señorita, no puedo comunicarme con el [5-10-10-11].

   —Trataré de conseguirle la comunicación. No se preocupe.

   —Gracias.

   —El teléfono está descompuesto.

   —El teléfono funciona, pero nadie contesta.

   —He podido comunicarle. Hable ahora.

Alguien entra en una tienda donde hay una cabina telefónica.

7. —¿Dónde está la guía telefónica, por favor?

   —En la caseta, al fondo de la tienda.

   —No tenemos. Lo siento.

Una persona tiene dificultad para conseguir una información telefónica.

8. —¿Podría darme el número de [González], que vive en [Paseo de la Reforma *110*]?

   —Hay muchos [González] en [Paseo de la Reforma]. ¿Sabe usted el nombre?

—No, no lo sé.

—Lo siento. Creo que no podré localizarlo así.

—No es posible encontrarlo sin el nombre completo.

Alguien está tratando de hacer una llamada de larga distancia.

9. —¿Larga distancia? Quiero hacer una llamada de persona a persona, a [Juan González], en [La Paz, Bolivia].

—¿Tiene usted el número?

—No, no lo tengo.

—Se lo buscaré. No cuelgue por favor.

—Tendrá que llamar a información. La zona es la número cinco.

Una llamada a unos amigos tendrá que ser más tarde.

10. —¿Puede tener la amabilidad de comunicarme con los [Ramírez]?

—No creo que estén en casa.

—No llegan antes de las [*ocho*].

Un joven llama a su amigo.

11. —¡Hola! Habla [Juan]. ¿Está Pablo en casa?

—No, lo siento. Salió. Le diré que llamaste.

—Gracias.

—¿Le quieres decir, por favor, que lo llamo después?

Un amigo contesta una llamada telefónica.

12. —Hola, [Manuel]. Siento no haber estado cuando llamaste.

—No te preocupes. Está bien. Sólo te quería preguntar si vas a ir (a la) *cena de graduación* la semana próxima.

baile de carnaval	*conferencia de arte*	*concierto folklórico*

Alguien entra en una oficina telegráfica para enviar un telegrama.

13. —Quisiera enviar un telegrama.

—Escríbalo en este formulario. Ponga el nombre y la dirección del destinatario en letra de molde, y añada el texto del telegrama en los renglones de abajo.

Una persona no está segura de la forma en que debe terminarse una carta de negocios.

14. —¿Qué despedida se debe usar en una carta de negocios?

—Puede poner "De Ud. muy atentamente" o "Afectísimos y seguros servidores".

Alguien pregunta acerca del periódico que un amigo lee.

15. —¿Cuál es el nombre de ese periódico?

—"El Universal".

—¿Se imprime siempre en colores?

—No, solamente los domingos, la edición especial.

—Sí, así lo creo.

Diálogo sostenido

[Jaime] llama a su amigo [Carlos] por teléfono. La [madre] de [Carlos] toma el recado telefónico.

16. –Hola, [señora Rubio]. Habla [Jaime Alvarado]. ¿Puede comunicarme con [Carlos]?

–Hola, [Jaime]. Lo siento, pero [Carlos] no está en casa. Fue al [estadio] a jugar al [fútbol].

–¿A qué hora cree que regresará?

–Debe volver a la hora de la cena, más o menos a las [siete]. ¿Quieres que él te llame cuando llegue?

–No, gracias. Llamaré después. No estoy hablando de casa. Hasta luego, [señora Rubio].

–Hasta luego, [Jaime].

LAS PERSONAS Y LOS LUGARES

direcciones

Diálogos breves

Pedir indicaciones para llegar a un lugar es importante. También hay que entender la respuesta de la otra persona. En los siguientes diálogos (1-8), la gente pide direcciones.

1. —Perdone, señor. ¿Dónde está el Instituto Francés?

   —Lo siento, señorita, no lo sé.

   —Al final de la calle, a dos cuadras de aquí.

2. –Por favor, ¿dónde está el *hospital?*

correo	*estadio*	*parque*	*centro médico*

–En la *segunda* cuadra, por esta misma calle.

tercera	*cuarta*	*quinta*	*primera*

3. –¿Dónde queda [el centro médico], por favor?

–Tres cuadras más adelante. ¿Ve usted aquel rótulo? Está cerca de allí.

4. –¿Dónde está [la biblioteca municipal]?

–[Más adelante]. ¿Va usted allí ahora?

–Sí, tengo que buscar un libro.

5. –¿Sabe usted cómo se llega (a la) *estación?*

clínica	*correo*	*ayuntamiento*	*palacio de justicia*

–Sí. Doble a la [derecha] en la próxima esquina.

6. –Disculpe. ¿Puede decirme dónde hay [una farmacia]?

–Hay (una) *en la próxima cuadra.*

a dos cuadras	*en el edificio que sigue*

–Gracias.

–De nada.

7. –Perdone. ¿Me puede decir dónde hay (una) *peluquería?*

salón de belleza	*carnicería*	*pescadería*	*supermercado*

–No lo sé. Lo siento. Yo no soy de aquí.

8. —¿Cuál es la manera más fácil de llegar a su casa?

—Por (la) *nueva autopista.*

tranvía	*metro*	*autobús*	*tren*

Diálogo sostenido

—Debo ir a [la Avenida Churubusco] cerca de [Insurgentes]. ¿Puede decirme cómo llegar allí?

—Por supuesto. Tome en la esquina el autobús que va hacia la universidad. Bájese en la esquina de [Churubusco] y camine [dos] cuadras hacia [la derecha].

compra de comestibles y artículos para el hogar

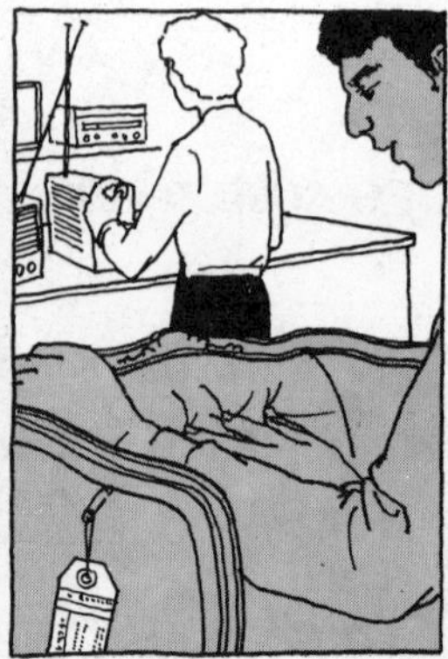

Diálogos breves

A algunas personas les gustan los supermercados, a otras no.

1. —¿Le gustan los supermercados?

   —*No mucho que digamos. Prefiero comprar en tiendas pequeñas donde los dueños me conocen.*

   —*Sí, todo lo que uno necesita se encuentra allí.*

A un muchacho se le pide que vaya a la pastelería.

2. —[Jorge], por favor ve a la pastelería.

   —¡Cómo no, mamá! ¿Qué necesitas?

   —Una docena de empanadas, un pastel de chocolate y dos hogazas de *pan de centeno.*

   pan francés *pan moreno* *pan italiano* *pan de molde*

Una señora quiere ir a la tienda; la otra no puede ir.

3. —Vamos (al) *supermercado.*

pescadería *carnicería* *joyería*

—Lo siento, pero estoy ocupada.

Una señora conversa con un comerciante.

4. —¿Me da un frasco grande de café instantáneo y una lata chica de *frijoles,* por favor?

maíz *remolachas* *tomates* *guisantes* *papas* *zanahorias*

—Sí, señora. ¿Qué marca desea?

—¿De alguna marca especial?

En los siguientes diálogos (5-7), los clientes se dirigen a los vendedores.

5. —¿Me da [un kilo de uvas], por favor?

   —Lo siento, señora, pero acabamos de vender las últimas. No tendremos más hasta la tarde.

6. —¿Me da, por favor, [un] kilo de [tomates] y [dos] kilos de papas?

   —Con todo gusto, señorita. ¿Alguna otra cosa?

7. —Quiero un kilo de *chuletas,* por favor.

carne para caldo *bistec* *hígado* *filete*

—Aquí lo tiene. Acabamos de preparar las salchichas. ¿Va usted a llevar algunas?

—No, gracias. A mi *esposo* no le gustan las salchichas.

madre *hijo* *padre* *familia* *hija*

Dos vecinos hablan de las carnicerías donde compran su carne.

8. –No me gusta la carne de la carnicería de la esquina.

   –¿Por qué no prueba la carnicería de la calle [Sucre]?

Un matrimonio habla de muebles.

9. –Necesitamos algunos muebles.

   –De acuerdo. ¿Quieres ir a una mueblería o a un almacén?

–No estoy de acuerdo. Tenemos suficientes muebles.

Una madre conversa con su hija de las cosas que necesitará el apartamento de la joven.

10. –Necesitarás algunas sábanas y algunas fundas.

    –Sí, y creo que también necesitaré [toallas].

Un cliente busca algo que necesita en una tienda.

11. –Perdóneme. ¿Vende usted *artefactos eléctricos para el hogar?*

tostadoras	*hornos*	*cafeteras*	*teteras*

    –En este piso no. Puede encontrar(los) en el sótano.

–No, no vendemos. Quizá en la tienda de enfrente (los) encuentre.

Un hombre habla con el farmacéutico o el dependiente de la farmacia.

12. –Necesito [crema de afeitar].

    –Tenemos una oferta especial de esta marca. Un [tubo] cuesta [tres pesos]; dos [tubos], [cinco pesos].

Un esposo le pregunta a su mujer qué ha hecho con el dinero.

13. —¿En qué gastaste el dinero?

—Compré (una) *silla.*

lámpara	*armarios*	*libreros*	*juego de copas*

Diálogos sostenidos

Un cliente quiere unos filetes especiales.

1. —[Señor Gómez], ¿tiene usted más filete de aquél que tanto me gusta?

—Puse un par de kilos en el refrigerador esta mañana.

—Parece que no queda nada.

—Entonces, ya se vendieron. Mañana tendremos más, [señorita González].

—¿Podría pedir al carnicero que me reserve un kilo, por favor?

—*Creo que ya se fue, pero voy a ver.*

—Ya no está. Termina a las [siete]. Lo siento.

A la gente le gustan siempre las ventas especiales y los baratillos.

2. —Acabo de comprar [seis] cajas de [detergente].

—¿Había una venta especial en el [supermercado]?

—Sí. Date prisa si quieres conseguir algo.

—Hoy no puedo comprar nada. No tengo [dinero].

Una mujer va a la farmacia a comprar unos artículos.

3. —Nos acabamos de mudar a este lugar. Soy la [señora Romo]. Tengo una lista de unas medicinas que necesito.

   —Mucho gusto de conocerla, [señora Romo]. Permítame la lista. Para esta medicina necesita una receta.

   —No sabía que se necesitara. Le pediré una receta a mi médico.

Alguien quiere comprar un mueble.

4. —Quisiera ver *una butaca.* ¿Tiene (una) de cuero?

un sofá	*un sofá-cama*	*una cama*	*una mesa*

   —Sí, tenemos (unas) muy buenas. Sígame al departamento de muebles, se (las) mostraré.

Alguien quiere comprar cubiertos de plata que no sean muy caros.

5. —¿Me puede mostrar juegos de cubiertos que no sean muy caros?

   —¿Quiere ver un juego de [seis] cucharas, [seis] cuchillos y [seis] tenedores?

   —No, necesito un servicio para [doce] personas, que incluya cucharas soperas.

   —*Aquí tengo un juego completo./El diseño es muy moderno.*

—No creo tener nada por el momento.

Alguien quiere comprar un radio.

6. —Me gustaría ver un radio.

—¿Quiere un radio portátil o un radio de mesa?

—Un radio de mesa, por favor.

—¿Algún estilo particular?

—No, algo que usted considere bueno.

Alguien entra a una tienda de comestibles a hacer unas compras.

7. —Buenos días. ¿En qué puedo servirle?

   —Buenos días. Quiero una docena de huevos. ¿Cuáles son los de mejor calidad?

   —Aquí están. ¿Desea algo más?

   —Sí, un kilo de [salchichas]./¿Cuánto es todo?

   —Son tres pesos.

   —Tengo un billete de cincuenta. ¿Puede cambiarlo?

Diálogo espiral

1. —Buenos días. ¿Tiene usted [duraznos]?

   —Sí, sí tengo.

   —Buenos días. ¿Tiene usted [duraznos]? Quiero un kilo.

   —Aquí está.

   —Buenos días. ¿Tiene usted [duraznos]? Me gustan [maduros] y [grandes]. Por favor, déme [medio kilo].

   —Lo siento, pero sólo tengo unos [pequeños]. ¿Quiere [medio kilo] de ésos?

—Buenos días. ¿Tiene usted [duraznos] maduros? Quiero un kilo de los mejores que tenga.

—Sí, tengo unos [duraznos] hermosos hoy. ¿Por qué no lleva más de un kilo?

—No, gracias, un kilo es suficiente. ¿Cuánto le debo?

—[Cinco] pesos con [cincuenta y cinco] centavos.

—Aquí los tiene. Muchas gracias.

2. —¿Tiene usted plumas?

—Sí tenemos.

—¿Tiene usted plumas?

—Sí, sí tenemos. ¿Quiere una pluma fuente o un bolígrafo?

—¿Tiene usted plumas? Necesito una para la escuela.

—Sí, tenemos plumas. ¿Quiere que le muestre algunas?

—Necesito una pluma para usarla en la escuela. Prefiero una de color oscuro.

—Aquí tiene algunas muy buenas. Vienen en dos colores con la tapa [blanca]. ¿Cuál le gusta?

—El maestro nos pidió que compráramos una pluma para la escuela. Yo prefiero un bolígrafo porque creo que es más fácil escribir con ellos. Quiero el mejor que tenga.

—Éstos son los mejores que tenemos. Vienen en [verde], [azul] y [amarillo]; éstos, en [rojo] o [negro] con tapa [blanca]. ¿Quiere punta delgada o gruesa?

—Punta delgada, por favor.

compra de ropa

Diálogos breves

En los siguientes diálogos (1-4), un hombre compra prendas de vestir.

1. —Me gustaría probarme un traje.

   —¿Qué tela le gusta? ¿Franela, lana, seda o casimir?

   —Quiero algo de seda.

—Casimir, creo.

2. —Necesito un traje de seda [gris] talla [cuarenta y ocho].

   —Lo siento. No tengo nada en esa talla. Espero recibir un envío el [viernes]. ¿Puede usted volver?

—Aquí tiene un traje de seda [gris] en esa talla.

3. —¿Dónde puedo encontrar calcetines de *algodón?*

lana nilón dacrón

—*Allí, en aquella mesa.*

—En el segundo piso, al fondo de la tienda.

Un hombre quiere comprar un par de pantalones.

4. —Quiero unos pantalones, por favor. ¿Me puede mostrar los [azules] que tienen en el escaparate?

—*Sí, cómo no, por favor venga conmigo.*

—¿Cuál es su talla?

Una mujer quiere comprar un vestido.

5. —¿Tiene un vestido que pueda usar para el trabajo?

—*Sí, tenemos un gran surtido de todas las tallas. Por aquí, tenga la bondad.*

—Sí. ¿De qué precio lo desea?

Una mujer no quiere ir de compras con su amiga.

6. —¿Quieres ir de compras conmigo? Necesito comprar un vestido.

—No, gracias. Tú nunca sabes lo que quieres. Me haces perder el tiempo.

Diálogos sostenidos

Una señora quiere comprar un vestido.

1. —¿En qué puedo servirle?

   —Busco un vestido [azul].

   —Éstos de aquí están en liquidación. ¿Cuál es su talla?

   —Mi talla es la [doce]. Este vestido me gusta. ¿Dónde puedo probármelo?

   —Pase por aquí. Aquí está el cuarto de vestir.

   —¿Cómo se ve?

   —Muy bien. Y no es caro.

   —¿Cuánto cuesta?

   —Sólo [treinta] pesos.

   —Me lo llevo.

Una [señora] ha visto un sombrero en el escaparate y quiere probárselo.

2. —¿Puedo probarme un sombrero [verde] como el que está en el escaparate?

   —Por supuesto. Siéntese aquí enfrente del espejo.

   —¿Puedo ponerme el sombrero yo misma?

   —Por supuesto . . . Le queda muy bien.

Dos [señoras] hablan de un nuevo par de zapatos.

3. —¿Te gustan mis zapatos nuevos?

   —Son muy bonitos. ¿Dónde los compraste?

   —En la [Zapatería Internacional].

   —¿Son caros?

   —Depende de lo que entiendas por "caros".

Una [señora] habla a un vendedor de zapatos.

4. —Los zapatos son muy bonitos. ¿En qué colores vienen?

   —Los tenemos en marrón, azul marino y negro.

   —Negros, por favor. ¿Los tiene con el tacón *más alto*?

bajo	*mediano*

   —Sí, los tenemos en todos los tamaños. ¿Quiere ver un par?

   —Sí, por favor.

Dos [señoras] hablan de vestidos.

5. —Acabo de comprar un vestido nuevo. Aquel rojo que tenía ya no me queda bien. He aumentado de peso.

   —Yo también necesito algunos vestidos nuevos. ¿De qué color compraste el tuyo?

   —Rojo. *Rojo cereza.* El rojo es mi color predilecto.

Rojo brillante.	*Rojo oscuro.*	*Rojo tomate.*

   —Me gusta el rojo, pero el [azul] es mi favorito./Creo que voy a comprar un vestido [azul] para nuestra fiesta la semana que viene.

—Tengo que comprar zapatos también.

—¿Por qué no compras zapatos rojos?/Te los pueden teñir del color del vestido.

Alguien ha olvidado su equipaje en el tren. Un amigo ofrece prestarle ropa.

6. —¿Adónde vas hoy por la mañana?

—A comprar ropa. Dejé la mía en el tren.

—Yo te puedo prestar ropa. ¿Qué es lo que necesitas?

—*Unos calcetines y ropa interior, un par de zapatos negros y una camisa.*

—*Un millón de gracias, pero no creo que tu ropa me quede bien.*

Una joven ha sido invitada a una fiesta. Anda buscando un vestido, acompañada de una amiga.

7. —Mira, [Alicia]. ¿Qué te parece este vestido?

—Es muy bonito. Me gusta el color. ¿Por qué no te lo pruebas?

—Me lo voy a probar. ¿Pero crees que está bien para la fiesta?

—Creo que es perfecto.

—Bueno, ¿cómo me queda?

—Te ves preciosa. Serás la muchacha más elegante de la fiesta. ¿Cuánto cuesta?

—Cuesta [veintiocho] pesos. ¿Crees que es una buena compra?

—Ya lo creo.

—Me lo llevo. Tengo [cuarenta y cinco] pesos./Pagaré el vestido y aún me queda para comprar medias y zapatos.

—¡Magnífico! Vamos a la caja a pagar./Tengo que llegar temprano a casa.

—Gracias por acompañarme.

Una joven desea comprar una [bufanda] como la de su amiga. Una vendedora la está atendiendo.

8. —¿En qué puedo servirle?

—Quiero una [bufanda].

—Tenemos un excelente surtido.

—Una amiga mía tiene una que me gusta mucho. Creo que la compró aquí.

—¿Cómo es?

—Es de seda [blanca] con un borde [azul].

—¿Como ésta, [señorita]?

—Sí, ésa misma es. ¿Cuánto cuesta?

—[Cinco] pesos.

—¿Y esa otra?

—[Seis].

—No quiero gastar tanto. ¿Tiene algo más barato?

—Sí, ¡cómo no! Éstas cuestan [tres] pesos.

—Creo que me llevaré la que me mostró antes.

—¿Cuál, [señorita]?

—Ésta. ¿Me la puede poner en una caja?

—Claro que sí. ¿Desea alguna otra cosa?

—No, eso es todo. Muchas gracias.

—Pague en la caja, por favor. Allí le entregarán la mercancía.

[María] describe el vestido que compró para una fiesta.

9. —Hola, [María]. ¿Dónde estuviste ayer?

—Fui de compras. Me compré un vestido nuevo.

—¿Dónde?

—En los [Almacenes Concordia], que tenían grandes ofertas de aniversario.

—¿Cómo es el vestido?

—Es azul claro con el cuello *blanco.*

azul celeste *azul oscuro* *azul marino* *azul cobalto* *verdiazul*

—¿Es un vestido corto?

—No, tiene una falda bastante larga.

—¿Te lo vas a poner para el baile del [sábado]?

—Sí, será perfecto.

—¿Tienes que hacerle algún arreglo?

—Bueno, tengo que acortarlo un poco, como *unos dos centímetros.*

tres centímetros *cuatro centímetros* *centímetro y medio*

—¿Te compraste zapatos nuevos también?

—No, me pondré los zapatos [azul marino].

—Y tu collar de [cuentas blancas].

—Muy buena idea./También tengo una cartera [blanca] y guantes [blancos].

Diálogo espiral

–Me gusta tu vestido. ¿Es nuevo?

–Sí, lo compré esta mañana.

–Tu [vestido de noche] es [encantador]. Me gusta. ¿Cuándo lo compraste?

–Lo compré la semana pasada en un baratillo.

–¡Qué vestido tan elegante llevas! Me gusta. ¿Cuándo lo compraste?

–Gracias. Lo compré [la semana pasada]. Muchas mujeres están usando ahora estos trajes tejidos.

dónde hacer arreglar las cosas

Diálogos breves

Alguien necesita arreglar sus zapatos.

1. —¿Hay algún zapatero cerca de aquí?

   —Sí. Hay uno *en la calle siguiente,* entre la tienda de comestibles y la sastrería.

a la vuelta de la esquina	*a dos cuadras de aquí*

Un cliente se queja de un prendedor que compró.

2. —(El) *prendedor* que ordené llegó rot(o).

brazalete	*correa de reloj*	*pulsera*	*collar*

   —Lo siento./(Lo) haré arreglar inmediatamente.

—Me sorprende. (Lo) envolví cuidadosamente.

Una mujer necesita lavar su ropa.

3. —¿Hay alguna lavandería automática por aquí? Quisiera lavar algunas cosas ahora por la mañana.

   —No, pero la [señora de Rojo] lava ropa y probablemente se la lavará con mucho gusto./Vive en la casa de la esquina.

—Sí, hay una en la calle [Miguel de Unamuno].

A alguien le gustaría que le hicieran una prenda de vestir.

4. —¿Puede hacerme (un) *traje* que necesito con urgencia?

chaqueta	*vestido*	*pantalones*	*falda*	*blusa*

   —¿Tiene usted la tela?

   —Sí, aquí está.

El sastre quiere saber de qué largo quiere las mangas la cliente.

5. —¿De qué largo quiere usted las mangas?

   —Me gusta que me lleguen hasta las muñecas.

Un hombre compra un traje. Cree que las mangas le quedan largas.

6. —El traje es bonito, pero las mangas me quedan largas.

   —Llamaré al sastre. Él hará los arreglos necesarios.

—¿De qué largo desea las mangas?

Diálogos sostenidos

Una mujer quiere cambiarle el color a un vestido.

1. —¿Cuánto cobran por teñir un vestido? Me gustaría teñir éste de [verde].

   —*[Dos] pesos./No creo que éste pueda teñirse. Se encogerá, de seguro.*

—No teñimos aquí./Vea si en la [Tintorería y Lavandería Universal] lo pueden hacer.

El dueño de una lavandería no cree que se pueda quitar la mancha de un vestido.

2. —Quiero que me limpien este vestido.

   —Tiene una mancha aquí.

   —Sí, le cayó *salsa* y se manchó.

tinta	*refresco*	*pintura*	*café*

   —Trataremos de quitarla, pero no es seguro que salga.

   —¿Cuándo estará listo?

   —Vuelva el [jueves], por favor.

Un recién llegado pregunta por una sastrería.

3. —¿Hay un taller de costura o modistas por aquí cerca?

   —Sí, los hay.

   —¿Dónde están? Necesito una modista o al menos una buena costurera que pueda arreglar un vestido de mujer.

   —¿Quiere Ud. cambiar el diseño?

   —No, las mangas están muy estrechas.

A alguien le han recomendado una costurera.

4. —Me han dicho que es usted magnífica costurera. Me envía la [señora de González].

 —Gracias. ¿En qué puedo servirle?

 —Tengo unas telas. Quisiera que me hiciera usted dos [vestidos] en estos estilos.

 —Con mucho gusto lo haré./Pase al salón interior. Le voy a tomar las medidas.

Una mujer quiere acortar un vestido.

5. —¿Puede usted acortar este vestido?

 —Sí. ¿Cuánto quiere acortarlo?

 —Seis centímetros.

 —Eso me parece mucho. ¿Por qué no se lo pone y así vemos exactamente lo que hay que acortar?

 —*No tengo tiempo. Estoy segura de que seis centímetros serán suficientes.*

—Ya me lo he probado. Seis centímetros bastan.

Un cliente habla con un empleado en un taller de reparaciones.

6. —¿Arreglan ustedes *tocadiscos*?

radios	*televisores*	*grabadoras*	*cámaras*

 —Sí, aquí arreglamos de todo.

 —Bueno. Traeré mi [tocadiscos] *más tarde.* ¿Cuándo lo tendrán listo?

esta noche	*mañana por la mañana*	*en cosa de una hora*

 —No lo sé. Depende del problema que tenga.

Un hombre o una mujer necesita un nuevo acumulador para su automóvil.

7. —Mi acumulador está descargado. ¿Puede cargarlo?

   —Lo siento. La cubierta de su acumulador está cuarteada. Necesita un nuevo acumulador.

   —No puedo comprar uno nuevo. ¿Tiene uno de segunda mano?

   —Sí, tengo uno.

   —Lo compro./¿Pueden ponerlo en mi automóvil, por favor?

Hablan dos amigos que se proponen ir de paseo en automóvil.

8. —No podemos usar el automóvil. Tiene un neumático desinflado.

   —*¿Tienes una gata y un neumático de repuesto? Te ayudaré a hacer el cambio en un santiamén.*

—Hay un taller de mecánica en la cuadra que sigue./Allí lo cambiarán. Vamos a llamar.

Un hombre lleva a revelar una película a una tienda de artículos fotográficos.

9. —Soy el [señor Monterrubio]. Dejé un rollo para revelar. ¿Está listo?

   —No, todavía no está. Como es de color, tuvimos que enviarlo fuera de la ciudad. Vuelva *el lunes,* por favor.

por la tarde	*martes*	*miércoles*	*mañana*

A algunas personas les gusta que un carpintero les haga sus muebles.

10. –Hablé con el carpintero. Puede hacerte (la) *mesa* que quieres.

librero	*silla*	*sofá*	*mesitas de sala*

–Bueno. ¿Cuándo estará list(a)?

–Dentro de dos semanas.

A algunas personas les cuesta trabajo llevar sus libros de ingresos para calcular los impuestos.

11. –¿Pagó usted ya el impuesto sobre la renta?

–No. Creo que necesito ayuda con las planillas.

–¿Por qué no llamas a mi contador? Es muy competente.

–No puedo pagar un contador.

–Gracias. ¿Dónde puedo hablar con él?

el correo

Diálogos breves

Alguien pide la dirección del correo.

1. —¿Dónde está el correo más cercano?

   —*A la vuelta de la esquina, a la izquierda.*

—*A unas diez cuadras en la avenida* [*San Martín*].

Un cliente hace pesar una carta para estar seguro de que tiene el porte correcto.

2. —Quisiera enviar esta carta *por correo aéreo.*

correo regular   certificada   entrega inmediata   con acuse de recibo

   —Bien, la pesaré. Cuesta [ochenta] centavos.

   —Aquí tiene. Gracias.

El servicio de entrega inmediata es un poco más caro que el correo regular.

3. –Quiero enviar esta carta por entrega inmediata.

   –Le cuesta *cincuenta* centavos más.

treinta	*cuarenta*	*sesenta*	*veinte*

Un dependiente pregunta a un cliente si quiere asegurar su paquete.

4. –Quiero enviar este paquete.

   –¿Lo quiere asegurar?

   –Sí, por favor. Quiero asegurarlo por *cien* pesos. ¿Se puede?

veinte	*treinta*	*cuarenta*	*ochenta*

Diálogos sostenidos

Una declaración del contenido va siempre adjunta al paquete.

1. –Quiero enviar este paquete.

   –Bien. ¿Lo quiere asegurar?

   –Sí, por favor. Contiene un [mantel] y [servilletas]. Asegúrelo por [veinte] pesos.

   –Llene este papel y tráigamelo.

Un cliente envía una carta de entrega inmediata al extranjero.

2. –Quiero enviar esta carta.

   –¿Cómo desea enviarla?

—Correo aéreo y entrega inmediata, por favor.

—Son [noventa] centavos: [cincuenta] por el correo aéreo y [cuarenta] por la entrega inmediata.

—¿Dónde puedo depositar la carta?

—Hay [buzones] afuera. Póngala en el [buzón] marcado *entrega inmediata.*

—Muchas gracias.

—De nada, para servirle.

Un amigo pide a otro que le eche unas cartas al correo.

3. —¿Adónde vas?

—Al correo.

—¿Vas a mandar una carta o a comprar un giro postal?

—Ninguna de las dos cosas. Sólo a comprar estampillas.

—¿Necesitas alguna otra cosa?

—No. Sólo necesito estampillas.

—Yo tengo unas que no necesito ahora. Si quieres, puedes usarlas.

—Gracias, pero necesito muchas. Las compraré en el correo.

—Pues, yo necesito algunos sobres. Ya que vas para allá, ¿puedes comprarme un paquete de sobres en la papelería y echarme estas cartas en el buzón del correo?

—Con mucho gusto, pero tienes que darme el dinero./ Tengo sólo para las estampillas.

servicios bancarios

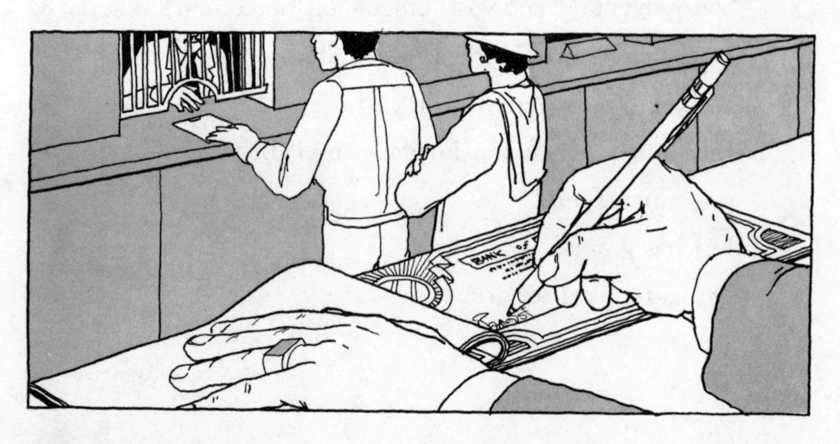

Diálogos breves

Un cliente quiere cambiar un cheque.

1. —¿Dónde puedo cambiar un cheque?

   —*En la segunda ventanilla a la derecha.*

   —*En la ventanilla número [siete].*

Una persona que se va de viaje quiere comprar unos cheques de viajero.

2. —Quisiera unos cheques de viajero, por favor. Necesito mil quinientos pesos en quince cheques de cien pesos.

   —Aquí están. Fírmelos, por favor.

Alguien envía dinero a una persona en el extranjero.

3. —Quisiera enviar un giro bancario a Paraguay.

   Venezuela   Argentina   Puerto Rico   España

   —Llene este formulario, por favor.

Diálogos sostenidos

Un esposo disgustado habla a su esposa.

1. —¡Tu cuenta corriente está sobregirada de nuevo!

   —Eso es imposible. No he girado ningún cheque este mes.

   —En ese caso, creo que debe haber algún error.

   —Seguro que lo hay./Hablaré con el gerente del banco, mañana temprano.

Un hombre quiere hacer algunas transacciones bancarias en el banco.

2. —Quisiera abrir una cuenta aquí.

   —¿Cuenta corriente o de ahorro?

   —Una cuenta corriente, por favor.

   —Por favor, necesito algunos datos. ¿Su nombre?

   —[Jaime Bravo].

   —¿Dónde trabaja usted, [señor Bravo]?

   —No estoy empleado. Estudio en la Universidad Central.

   —Trabajo en [la Compañía Exportadora de Uruguay].

en la barbería o el salón de belleza

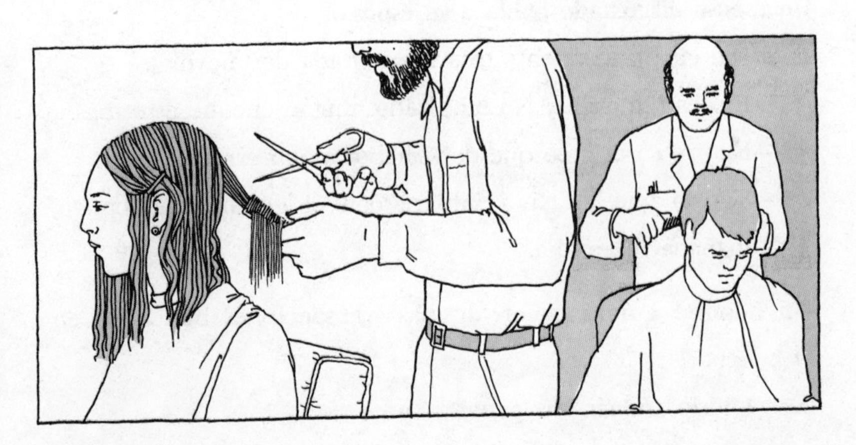

Diálogos breves

Un hombre está en la barbería.

1. –Quisiera cortarme el pelo. Solamente un poco a los lados y en la nuca, por favor.
   –Siéntese aquí, por favor. Volveré dentro de un momento.

2. –Quisiera que me arreglaran el pelo.
   –¿Quiere que lo afeite también?
   –No, gracias, sólo el corte de pelo.

Diálogo sostenido

Una mujer está en un salón de belleza.

–Quiero un corte, un champú y un peinado.

—*Tendrá que esperar unos [veinte] minutos. Tome asiento, por favor./Aquí tiene algunas revistas que puede leer mientras espera.*

—*Por supuesto. Siéntese aquí./¿Quiere usted el mismo estilo de corte y peinado?*

Diálogo espiral

—Tu cabello está precioso.
—Gracias.
—¿Quién te lo arregla?
—[Estela], en el [salón de belleza Erika].
—Yo también voy allí.

—Tu cabello está precioso. ¿Acabas de peinarte?
—Sí, pero no me gusta este estilo para nada. Quisiera probar algo nuevo la próxima vez.
—¿Quieres probar con mi peluquero?
—Me encantaría. ¿Cuál es su dirección?

—¿Con qué frecuencia vas al salón de belleza? Tu cabello está precioso.
—Cada semana me hago lavar y peinar el cabello. Lo he venido haciendo desde hace mucho tiempo.
—¿Crees que puedo conseguir una cita con tu peluquero?
—¿Por qué no? Voy para allá ahora mismo. Ven conmigo.

préstamo de libros en la biblioteca

Diálogos breves

Alguien va a la biblioteca después de clase.

1. —¿Adónde vas después de clase?

   —A la biblioteca.

Alguien pregunta sobre un libro que está leyendo un amigo.

2. —¿Qué libro estás leyendo?

   —Es (una) *novela* de la lista de obras recomendadas por el círculo literario.

drama	*ensayo*	*cuento*	*libro de poesías*

Dos amigos van a compartir libros que han sacado de la biblioteca.

3. —¿Dónde está el nuevo libro que sacaste de la biblioteca?

   —Aquí está. Ya lo leí. ¿Quieres leerlo ahora?

Alguien quiere pedir un libro prestado, pero su amigo no ha terminado de leerlo aún.

4. —Me gustaría ver el nuevo libro que conseguiste. ¿Aún lo estás leyendo?

   —Sí, pero terminaré pronto. Si quieres, te lo presto apenas lo termine.

Una persona busca en la biblioteca unos libros que aún no han sido devueltos.

5. —¿Tiene ya los libros que solicité la semana pasada?

   —No. Lo siento. Aún no los han devuelto.

Una persona quiere saber el número de libros que se pueden sacar de una vez.

6. —¿Cuántos libros se pueden sacar de la biblioteca?

   —Tres de ficción y dos de texto.

Diálogos sostenidos

Alguien quiere una tarjeta de la biblioteca.

1. —¿En qué puedo servirle?

   —Me gustaría obtener una tarjeta de la biblioteca.

   —¿Vive usted en este sector de la ciudad?

—Sí, vivo en [Isabel la Católica] número [treinta y cuatro].

—Aquí está una solicitud./Llénela y tráigala con dos fotografías.

—Gracias, es usted muy amable.

Alguien quiere reservar un libro en la biblioteca.

2. —Perdone. ¿Cómo puedo reservar este libro?

—Llene esta tarjeta y fírmela.

—¿Cuándo me prestarán el libro?

—Bueno, hay *tres* personas antes de usted.

unas cuantas *varias* *muchas* *cinco*

Alguien quiere averiguar el significado de una palabra. Necesita un diccionario.

3. —¿Puede decirme dónde hay un buen diccionario? Necesito buscar algunas palabras.

—Ahí en ese estante hay uno.

Una tienda acaba de inaugurar una sección de préstamo de libros.

4. —Veo que tiene un servicio de alquiler de libros.

—Así es. Pensamos *tener* las últimas novedades.

reservar *conseguir* *encargar* *solicitar*

—¿Qué debo hacer para suscribirme a ese servicio?

—Deberá llenar una solicitud y dejar un depósito./A los [seis meses] se le devuelve el depósito.

Alguien habla con un amigo acerca de un nuevo libro en la sección de préstamos de la biblioteca.

5. –Hay una nueva colección de libros de bolsillo en la sección de préstamos de la biblioteca.

   –¡Qué bueno! Hay algunas novelas que me gustaría leer.

   –¿Alguna en particular?

   –Sí, [*Cien años de soledad*]./Tengo entendido que es una obra fascinante.

VIAJES y DIVERSIONES

viajes y medios de transporte

Diálogos breves

En los siguientes diálogos (1-7), la gente habla de las horas y de los medios de transporte para ir de un lugar a otro.

1. —¿Cómo vas generalmente a la escuela?

   —Por lo general, en *autobús*.

tren *automóvil* *bicicleta* *tranvía*

2. —¿Dónde puedo tomar el autobús número [cincuenta y cuatro]?

   —*Hay una parada en la esquina. Ahí puedes tomarlo.*

—*No puedes tomarlo aquí./Tienes que cambiar de autobús en* [*Villa Obregón*].

3. —Si no nos damos prisa, perdemos el autobús.

—¿A qué hora pasa por aquí?

—*Más o menos a las* [*cuatro*].

Cada diez minutos. *Cada media hora.*

4. —¿Va este tranvía al centro?

—*Sí, sí va.*

—No sé. Yo no vivo aquí.

5. —¿Sabe usted a qué hora sale el tren?

—Creo que debe salir a las *3:15*.

4:15	*4:45*	*4:30*	*5:30*

6. —¿Va usted en automóvil o toma el *tren?*

autobús	*avión*	*barco*

—*Vamos en automóvil./De ese modo podemos detenernos en cualquier lugar.*

—Depende de lo que decida [*Salvador*].

7. —Quiero ir al [centro] a hacer algunas compras.

—¿En qué va usted? ¿En automóvil o en [autobús]?

—Creo que voy a tomar el [autobús]. Es muy difícil estacionarse en el centro.

Un camarero del tren ofrece ayudar a un pasajero.

8. —¿Puedo ayudarle con su equipaje?

—*No, gracias./Lo llevaré yo mismo.*

—Sí, muchas gracias.

Las estaciones terminales de ferrocarril y de autobuses tienen, por lo general, una sección de entrega de equipaje.

9. –Quisiera dejar mi maleta en la sección de equipaje.
   –¿Es solamente por hoy?
   –Sí, mi [tren] sale dentro de [dos] horas.

Un señor se detiene en una estación de gasolina, para llenar el tanque de su automóvil.

10. –A sus órdenes, señor.
    –[Diez litros], por favor.
    –¿Regular o especial?
    –[Regular].

Un buen mapa puede ser de gran ayuda.

11. –¿Tiene un mapa de la ciudad?
    –Sí, aquí está. Tiene todas las calles principales.

Una señora ha tomado un taxi. El taxista le pregunta adónde se dirige.

12. –¡Taxi, taxi!
    –¿Adónde va, señorita?
    –Lléveme a la avenida [Sandino número cuarenta y seis]. Vaya despacio, por favor./Me pone nerviosa la velocidad.

En la era de la velocidad, a menudo se habla de aviones.

13. –¿Has viajado alguna vez en avión?
    –Solamente una vez.
    –No, nunca.

14. —¿Llegará a tiempo el avión?

—No, tiene [una hora] de retraso.

15. —El avión acaba de aterrizar.

—¡Y a la hora exacta!

16. —Me gustaría ir a *Europa* en avión.

Asia	*África*	*Australia*	*Estados Unidos*	*Canadá*

—A mí también.

17. —¿De qué tipo es el avión en que vas a viajar, de hélice o de propulsión?

—De propulsión a chorro.

18. —¿Cómo vas a ir al aeropuerto?

—Voy en taxi./Tengo mucho equipaje.

Diálogos sostenidos

Alguien invita a un amigo a ir con él en su automóvil.

1. —¿Qué te parece si damos un paseo en mi automóvil?

—Me parece bien. ¿Adónde vamos?

—Vamos al campo./Hace un día magnífico.

—Ésa es una buena idea.

Una persona va a otra parte de la ciudad por primera vez.

2. —¿Puedo ir en este [tranvía] al [centro]?/Quiero bajarme cerca de [la catedral].

—Sí, este [tranvía] la deja enfrente.

—¿Es un viaje largo?

—No mucho./Cosa de [media hora].

Los boletos de viaje de ida y vuelta son por lo general más baratos que los boletos de viaje sencillo.

3. —Quiero un boleto para [Guayaquil], por favor.

   —¿Viaje sencillo o de ida y vuelta?

   —Viaje de ida y vuelta.

   —Son *ocho* pesos.

nueve	*doce*	*veinticinco*	*quince*

A veces los boletos pueden comprarse a bordo sin cargo extra.

4. —¿Hay un autobús que sale para [Guayaquil] pronto?

   —Sí, hay servicio expreso dentro de [veinte] minutos.

   —¿Puedo *comprar* mi boleto en el autobús?

pagar	*conseguir*	*obtener*

   —Sí, puede hacerlo; pero es mejor comprarlo antes para no perder tiempo./Vaya a la ventanilla [once].

Un miembro de la familia ha perdido las llaves del automóvil.

5. —No puedo encontrar las llaves del automóvil. Estoy seguro que las tenía anoche.

   —Busca en la cómoda de la recámara./Estoy seguro que te vi ponerlas allí.

—Tú siempre pierdes tus llaves.

Alguien quiere comprar un automóvil nuevo.

6. —Me gustaría comprar un automóvil nuevo.

   —¿Qué modelo le gustaría?

   —Un modelo [deportivo].

   —Hay mucha gente que está esperando ese modelo. ¿No le gustaría el modelo [sedán]?

   —No, prefiero esperar el [deportivo].

Alguien quiere comprar un automóvil usado.

7. —Quisiera ver un automóvil usado.

   —¿Alguna marca en particular?

   —No. Cualquiera que funcione bien y no cueste más de [quinientos pesos].

   —Tengo varios. Voy a mostrárselos.

Alguien quiere comprar un automóvil nuevo y dar el suyo como pago inicial.

8. —¿Cuánto me darían ustedes por mi automóvil usado?

   —No creo que mucho. Es un modelo viejo.

   —Sí, lo sé, pero está en buenas condiciones./Nunca he tenido un accidente.

   —Haré que lo revise el mecánico.

Alguien quiere alquilar un automóvil, pero no puede por falta de crédito.

9. —Quisiera alquilar un automóvil para [este fin de semana].

   —¿Ha alquilado antes un automóvil nuestro?

   —No. Ésta es la primera vez.

—¿Tiene usted una tarjeta de crédito?

—No, pero sí tengo crédito en varios almacenes.

—Lo siento, pero no basta.

Un automovilista nota que se le está acabando la gasolina.

10. —Espero que lleguemos pronto a una gasolinera./No nos queda mucha gasolina.

—Vi un rótulo al pasar. Hay una estación a un kilómetro de aquí.

No a todos satisface el servicio de los autobuses de turismo.

11. —Vamos a tomar un autobús de turismo.

—No me gustan esos autobuses. Te llevan a la carrera de un monumento a otro.

—No hay otra alternativa. Sólo tenemos [un día] para ver la ciudad.

—Preferiría alquilar un automóvil.

Conducir con precaución puede salvar la propia vida y la de los demás.

12. —Ten cuidado en el cruce de caminos más adelante. No hay señales, ni luces de tránsito.

—Siempre tengo cuidado en esos lugares./No me haría ninguna gracia tener un accidente.

Un automovilista es detenido por un policía de tránsito en motocicleta.

13. —Hágase a un lado.

—¿Qué sucede?

—Va usted a [cien] kilómetros por hora./Le voy a poner una multa.

—Debe ser un error. Mi velocímetro marcaba solamente [sesenta].

Alguien explica por qué no pasó su examen para la licencia de guiar.

14. —¿Pasaste tu prueba de manejar?

—Esta vez no; pero voy a tratar de nuevo.

—¿Qué sucedió? ¿Tuviste problemas al estacionarte?

—No, ni siquiera llegué a esa parte de la prueba.

—¿Qué ocurrió?

—No advertí una parada en la primera esquina.

—No cedí el paso a una ambulancia.

—No cedí el paso a un autobús escolar.

Alguien explica por qué va a viajar en barco.

15. —Espero que vayas en avión.

—Ni lo pienses. Voy a viajar en barco.

—¿No será muy largo el viaje?

—No importa. Tengo vacaciones largas este año.

Alguien que hizo un viaje por avión explica por qué no lo ha disfrutado.

16. —¿Has tenido un vuelo agradable?

—¡Terrible! No volveré a subirme en un avión.

—¡Eso es sorprendente! Todos dicen que el vuelo fue muy bueno.

—Sí, lo fue, y la comida magnífica.

—Entonces, ¿de qué te quejas?

—Ya había visto la película que pasaron.

Esta persona no ha tenido suerte con las fotografías que ha tomado.

17. —¿Cómo salieron las fotos que tomaste en tu viaje?

—¡Malísimas! Están todas borrosas. Tuve que comprar diapositivas.

—Yo he tenido que hacer lo mismo varias veces.

Alguien explica por qué ha llegado tarde.

18. —Discúlpenme por llegar tarde. El tráfico estaba congestionado./Si lo hubiera sabido, no habría venido en automóvil.

—Sí, lo sé; escuché en el radio que hubo un accidente grave entre un pequeño automóvil deportivo [azul] y un [camión]./El tráfico se paralizó por más de [una hora].

Un hombre va a una agencia de viajes para hacer una reservación para él y su familia.

19. —¿Bueno? Quiero hacer una reservación para [Montevideo] para el [20 de diciembre].

—¿Para cuántas personas?

—Mi esposa, mi hijo de [doce] años y yo.

—¿Su nombre, por favor?

—[Juan Carlos Giraldo].

—[Juan Carlos] ¿qué?

—[Giraldo].

—Un momento, por favor . . . Sí, señor. Le acabo de hacer una reservación para el vuelo [411] a las [9 de la mañana].

—¿Cuánto cuesta el viaje de ida y vuelta?

—El vuelo de ida y vuelta de [Santiago a Montevideo] cuesta [setenta] pesos.

—¿Hay algún descuento para mi esposa y mi [hijo]?

—Sí, su esposa viaja a media tarifa y su [hijo] paga sólo la tercera parte.

—¿Esta tarifa es efectiva cualquier día de la semana?

—Sólo en días laborables.

—Muchas gracias. Recogeré los pasajes [mañana].

—Gracias por venir a la [Agencia Mundial].

deportes y vida al aire libre

Diálogos breves

En los siguientes diálogos (1-4), la gente habla de sus deportes favoritos y de aquéllos que no le gustan.

1. –¿Le gusta nadar?

   –*No. El agua me da miedo.*

–*Sí. Me encanta nadar.*

2. –¿Le gusta viajar en barco?

   –*No. Siempre me mareo.*

–*¿Por qué? ¿Tiene usted un bote?*

3. –¿Le gustaría *nadar?*

remar	*pescar*	*caminar*	*montar a caballo*

   –No, gracias. Ahora no. Voy a almorzar./Tengo mucha hambre.

4. —¿Quiere venir a [nadar] con nosotros?

   —*No, gracias. No sé [nadar]. Nunca he aprendido a [nadar].*

—*Sí, con mucho gusto. Gracias.*

5. —¿Qué va usted a hacer en sus vacaciones?

   —Voy a *esquiar* a [Bariloche] una semana.

al campo	*a la costa*	*quedarme en casa y descansar*
visitar familiares	*hacer un viaje corto*	

6. —La nieve está hermosa hoy. ¿Qué tal si vamos a *esquiar*?

caminar	*patinar*	*deslizarnos en trineo*

   —No, prefiero quedarme en casa [leyendo].

7. —Es un día magnífico para jugar al [fútbol].

   —Sí, pero olvidé la pelota.

8. —¿Cuáles son los deportes favoritos aquí?

   —El *fútbol* y el *béisbol.*

golf	*tenis*	*atletismo*	*alpinismo*

Diálogos sostenidos

Dos amigos hablan de conseguir localidades para un partido de fútbol.

1. —Vamos al juego de fútbol mañana. ¿Puedes conseguir entradas?

   —Creo que sí. ¿En que sección quieres?/¿A sol o a sombra?

   —A sol.

Mucha gente pertenece a círculos donde se pueden practicar muchos deportes.

2. —Vamos al club a jugar un partido de tenis.

   —No creo que pueda ir. Prometí llevar a mi familia a la playa.

   —Tráelos contigo. Pueden nadar en la piscina del club.

Un hombre y su esposa no pueden ponerse de acuerdo sobre lo que quieren hacer en un día cálido.

3. —Es un día hermoso. Vamos a la playa.

   —No, no tengo ganas de ir a la playa. Vamos a trabajar en el jardín.

   —Estoy muy cansada para trabajar en el jardín.

Un amigo pregunta a otro si se divirtió mucho el día que fue a la [playa].

4. —¿Te divertiste mucho en [la playa]?

   —Sí, mucho. Me encontré con varios amigos allí.

   —¿Cómo estaba el agua?

   —Fresca y limpia.

Dos amigos se ponen de acuerdo para ir a jugar al [tenis] el día siguiente.

5. —¿Sabes jugar al [tenis]?

   —No muy bien, pero me gustaría aprender.

   —¿Quieres jugar conmigo [mañana por la mañana]?

   —Seguro, pero te advierto que no soy muy bueno.

   —Ya veremos. Ya sabes que la práctica hace al maestro.

—¿Qué te parece a las [diez] en punto?

—De acuerdo, y no olvides llevar [pelotas extras] de tenis.

—Por supuesto que no.

—Hasta mañana, entonces.

—Hasta mañana.

Diálogo espiral

—¿Quieres ir a dar un paseo?

—Me encantaría.

—¿Quieres ir a dar un paseo por el parque?

—Sí, cómo no. Hace fresco afuera.

—¿Quieres ir a dar un paseo por el parque?

—Me encanta la idea. Hace fresco y el lago es tan bonito.

—¿Quieres ir a dar un paseo por el parque y sentarte cerca del lago?

—Me encantaría. Hace un día muy agradable y el lago es tan bonito.

el cine

Diálogos breves

Ir al cine es un pasatiempo en todas partes. En los siguientes diálogos (1-5), la gente habla de ir al cine.

1. –Voy al cine.

   –*¿Con quién?*

   –*¿Qué película vas a ver?*

2. –¿Qué hiciste anoche?

   –Fui al cine.

3. –Voy al cine *de la esquina.* ¿Quieres venir conmigo?

   del centro *al aire libre* *de la universidad*

   –Sí, con mucho gusto.

4. –¿Le gustó la película?

   –*Sí, mucho.*

   –*No mucho. Había demasiada violencia en ella.*

5. —¿Qué hiciste ayer?

—Fui al cine. ¿Y tú?

Diálogos sostenidos

Dos amigos hablan sobre una película que uno ha visto.

1. —¿Qué tal el fin de semana?

—Fui al cine.

—¿Qué película | viste?

—[*La rebelde*].

—¿Te gustó?

—*Sí, mucho.*/*Tiene muchas* [*canciones*] *y a mí me gusta la* [*música*].

—No mucho. Es muy vulgar.

Dos amigos o dos miembros de una familia deciden ir al cine. No saben si ir en su automóvil o no.

2. —Vamos al cine. El periódico anuncia un estreno. La película empieza a las *ocho y diez.*

6:00	*6:30*	*7:15*	*8:00*	*8:15*

—¿Crees que podremos encontrar donde estacionarnos?

—*¿Quién sabe?*/*No quiero perderme en el tráfico. Vamos en el autobús.*

—Sí, hay un lugar donde estacionarse por allí cerca.

Alguien sabe que su amigo ha ido al cine la noche anterior. Adivine cómo lo supo.

3. —Estuviste en el cine anoche, ¿verdad?

 —Sí, voy todos los [domingos].

 —Te gustó la película, ¿verdad?

 —Sí, ¿cómo lo sabes?

 —¡Oí tus carcajadas!

Dos amigos hablan de una película que han visto.

4. —Fui al cine anoche.

 —¿Qué viste?

 —[*El ángel exterminador*].

 —Yo la vi la semana pasada.

Un alumno le dice a otro que es capaz de estudiar y escuchar el radio al mismo tiempo.

5. —¿Qué hiciste anoche?

 —Me quedé en casa y escuché el radio.

 —¿No estudiaste tu lección de español?

 —Claro que sí. Estudié mientras escuchaba el radio.

 —¿Cómo puedes hacer eso?

 —Es fácil. El drama que había en el radio era en español, así que escuchaba y estudiaba al mismo tiempo.

Diálogos espirales

1. —¿Va usted al cine con frecuencia?

 —Sí, voy muy a menudo.

—¿Va usted al cine con frecuencia? Dan una buena película en el Cine [Internacional].

—¿De qué trata?

—Vi una buena película ayer. La estaban dando en el [Internacional]. ¿La ha visto usted?

—Sí, ya la vi. La fotografía es buena, pero el argumento no me gustó.

2. —¿Adónde va usted?

—Al cine.

—¿Adónde vas, [Carmen]?

—Voy al cine en el [centro]. ¿Puedes venir conmigo?

—Creo que sí. Le pediré permiso a mi [mamá].

—Espero que puedas acompañarme.

—[María], ¿puedes acompañarme al cine?

—Sí, con gusto.

—Si no nos damos prisa, llegaremos tarde.

—¿A qué hora comienza la película?

—Empieza a las [cuatro] en punto.

el teatro

Diálogos breves

Se le pregunta a alguien dónde tiene su entrada.

1. –¿Dónde tienes tu entrada?

   –En (el) *bolsillo.*

bolsa	*cartera*	*abrigo*	*chaqueta*

Alguien está en la ventanilla comprando localidades.

2. –Quiero dos localidades para mañana por la noche.

   –Sólo tengo de la [última] fila de la [galería].

   –Está bien. ¿Cuánto cuestan?

   –*Dos* pesos cada una.

tres	*cinco*	*cuatro*	*uno*

Una persona obtiene entradas por medio de un amigo y le da las gracias.

3. –Gracias por las entradas. El teatro me encanta.

   –No hay de qué. Trataré de conseguir localidades para las otras funciones.

Se le pregunta a una persona su opinión sobre una obra de teatro que ha visto.

4. –¿Le gustó la obra?

   –No mucho. La actuación fue buena, pero el argumento es flojo.

   –Sí, la protagonista es maravillosa.

Diálogos sostenidos

Dos personas están de acuerdo en que la obra que han visto es buena.

1. –Fue una obra excelente. ¿No cree usted que la actuación fue magnífica?

   –Sí, me gustó mucho./En realidad, me gustaría verla de nuevo.

Alguien está en una ventanilla comprando entradas para el teatro.

2. –¿En qué sección quiere sus localidades?

   –[Al frente], por favor.

—¿Están bien éstas? Están en la fila [M].

—No, quiero asientos hacia la [décima] fila.

—Lo siento, pero eso es lo más cerca que tengo.

—Bueno, ¿qué le vamos hacer? Tomaré los de la fila [M].

Un matrimonio parece haber perdido sus entradas para el teatro.

3. —¿Cuáles son nuestros números?

—No lo sé. Tú tienes las entradas.

—Yo no las tengo. Tú las tomaste./Nunca puedes recordar donde pones las cosas.

—No discutamos. Vamos a la ventanilla a ver si dejamos las entradas allí.

Un amigo le dice a otro lo que ha disfrutado viendo una obra.

4. —Vi una magnífica obra anoche.

—¿Qué obra?

—[*La Celestina*]. Los actores son extraordinarios.

—Trataré de verla. [*La Celestina*] es una de mis obras predilectas.

Hablan dos amigos a quienes entusiasma el teatro.

5. —¿Has visto alguna obra últimamente?

—Vi [*La vida es sueño*] hace [un mes].

—¿Te gustó?

—Es una obra excelente, más de lo que la gente cree.

—Y tú, ¿has visto algo que valga la pena?

—Yo también vi [*La vida es sueño*] y me gustó mucho. Tengo entradas para [*Yerma*] la semana que viene.

—Ésa es la obra en que actúa [Carlos Palacios]. ¿Lo has visto actuar?

—Sí, lo vi en [*El pagador de promesas*]. Allí actuó muy bien./Espero que así lo haga en [*Yerma*].

Alguien habla con un aficionado a la ópera.

6. —Supongo que fue a la ópera anoche.

—¿Cómo lo sabe?

—Supe que [la Caballé] cantaba, y a usted le gusta mucho oír(la).

—Tiene usted razón. Nunca me (la) pierdo.

—¿Cómo estuvo esa representación?

—¡Magnífica! [La Caballé] tiene una voz clara y sonora.

—¿Tuvo Ud. algún problema para conseguir localidades?

—Se agotaron hace [dos] semanas; pero pude conseguirlas porque soy socio del club de la ópera.

bailes y fiestas

Diálogos breves

A la mayoría de la gente le gusta ir a bailes y fiestas. En los siguientes diálogos (1-5), la gente habla de esto.

1. –¿Qué hizo usted anoche?

   –Fui a bailar con [Alicia].

2. –¿A qué hora empieza el baile esta noche?

   –Empieza a las *ocho y media.*

ocho y cuarto	*nueve*	*diez*	*once*

3. –[Sandra] fue a la fiesta [anoche].

   –Espero que *se haya divertido.*

haya estado muy bella	*haya disfrutado mucho*

4. –¿Le gustó la fiesta?

   –Sí, me divertí mucho.

5. –Siento que no haya podido venir a la fiesta.
–Yo también lo siento, pero el [sábado] estaba enfermo.

Diálogos sostenidos

Unas personas que se han mudado a su nueva casa van a invitar a todos sus amigos.

1. –Mira, aquí está mi invitación para la fiesta.
–¿Qué fiesta?
–La que dan los [González] para estrenar su casa. Todos sus amigos están invitados y ya te invitarán a ti también.
–¿Cuándo será?
–El [sábado] que viene. ¿Crees que podrás ir?
–Quizá. Me gustan mucho las fiestas.
–Seguro que nos divertiremos./¿Por qué no vamos juntos?

Un joven telefonea a una joven para invitarla a un baile.

2. –¡Oigo!
–¿[María]? Hola, te habla [Ramiro].
–Hola, [Ramiro]. Mi madre me dijo que me habías llamado antes. Siento no haber estado en casa.
–Es que hay un baile en el club el [sábado] por la noche y quería saber si te gustaría ir conmigo.
–Sí que me gustaría, [Ramiro], pero debo pedir permiso a mi [madre]. Un minuto. . . . [Mamá] ¿puedo ir a un baile con [Ramiro] el [sábado]?

—Sí, pero debes regresar a casa antes de [las once].

—[Ramiro], [mamá] me dio permiso, pero debo estar de vuelta antes de [las once].

—Está bien, pasaré por ti a las [siete y media].

—Estaré lista.

—Nos veremos el [sábado]. Hasta entonces, [María].

—Estaré lista a esa hora. Hasta luego . . . y gracias por *invitarme.*

llamarme	*convidarme*	*pensar en mí*

Se habla de las corridas de toros.

3. —¿Qué le pareció la corrida de ayer?

   —¡Estupenda! Nunca había asistido a una.

   —Bueno, ahora ya sabe lo que es la fiesta brava.

   —Sí, como espectáculo y como arte es algo . . . ¡soberbio!

4. —¿Qué te pareció el programa de hoy?

   —Muy bueno. La mejor corrida fue [la quinta] con el ["Pascualete"].

   —Sí, no hay como un buen torero para un buen toro.

5. —Hola, Julián. ¿Vas a la corrida de toros esta tarde?

   —Sí, voy a ir. No me la pierdo por nada del mundo.

   —¿Sabes quiénes torean hoy?

   —¡Claro! Manolo Rosas, Fernández y "Junquillo".

   —Gracias por la noticia. Voy a conseguir entradas.

   —Hasta luego, entonces.

Diálogo espiral

–¿Vas a ir a la fiesta?

–Sí, voy a ir.

–¿Vas a ir a la fiesta? Creo que será divertida.

–¿Crees que será un éxito?

–¿Vas a ir a la fiesta de [María]? Creo que [Alicia] irá. Las fiestas de [María] son siempre un éxito.

–Me gustaría ir. Nunca he estado en una fiesta de [María].

–[María] da una fiesta esta noche. La mayoría de sus compañeros van. ¿Tú piensas ir?

–Sí voy. Fui a su fiesta el año pasado. Me divertí mucho. ¿Crees que podamos ir juntas esta noche?

arte

Diálogos breves

A mucha gente le atrae el arte. A unos para cultivarlo, a otros para admirarlo. En los siguientes diálogos (1-4), personas de diferentes edades hablan del arte y de los artistas.

1. —¿Por qué le gusta ir a las clases de arte?

   —Me gusta *pintar*.

dibujar	*trabajar con arcilla*	*grabar*	*esculpir*	*diseñar*

2. —¿Qué hiciste el sábado?

   —Fui a un museo de arte con mi *hermana*.

hermano	*primo*	*madre*	*amigo*	*prometido*

3. —¿Vas a ir al [Museo Nacional] el [sábado]?

—No, no lo he pensado. ¿Hay alguna exposición especial?

—Sí, hay una exposición de cuadros del siglo [dieciocho].

—Hay una exposición de los impresionistas [franceses].

4. —¿Te gusta el arte moderno?

—No. Prefiero a los maestros del arte clásico.

—No lo comprendo del todo, pero sí me gusta.

Diálogo sostenido

Alguien trata de explicar por qué no le agrada el arte moderno.

—¿Qué cosa es esto? No es sino un pedazo de lienzo embadurnado.

—¿No ves las manchas [rojizas] al fondo? Las variaciones de color equilibran la composición.

—¿Y qué me dices de ésta? Parece como si el pintor hubiera pegado un pedazo de piel de cebra en el lienzo.

—Veo que no entiendes el arte moderno. La belleza de estas pinturas está en el contraste y el movimiento de esas franjas. Trata de hacer este experimento. Cierra los ojos y en tu imaginación, si ordenas esas franjas de otra manera, ¿qué es lo que ves?

—Un tablero de ajedrez y nada más.

en el restaurante

Diálogos breves

1. —Tengo hambre.

   —Yo también.

   —Vamos a (ese) *restaurante* del otro lado de la calle.

cafetería fonda hotel comedor café

A algunas personas les gustan sus alimentos bien cocidos; a otras, no.

2. —¿Cómo quiere usted su bistec?

   —*Bien cocinado,* por favor.

término medio casi crudo casi quemado

Muchos piensan que una comida no está completa sin postre.

3. —¿Qué quiere de postre?

   —(Un) *pastel de chocolate,* por favor.

helado gelatina flan pudín

Un cliente quiere una especialidad mexicana: tacos de carne.

4. –Unos tacos de carne, por favor.

–Lo siento, pero ya no tenemos.

–¿Cómo los quiere, con salsa o sin salsa?

Los tomadores de café son exigentes en cuanto a su calidad.

5. –Me gusta tomar café, pero el de aquí no es bueno.

–A mí tampoco me gusta. Es pésimo.

–No me parece tan malo.

Diálogos sostenidos

Muchos restaurantes preparan comida para llevar.

1. –Quiero un emparedado de queso y jamón con pan de centeno para llevar.

–¿Le pongo mayonesa?

–No, gracias.

–¿Algo de tomar?

–Sí, café.

–¿Con leche?

–No, café solo, por favor.

La gente que come fuera con frecuencia siempre está en busca de nuevos restaurantes.

2. –¿Conoce algún restaurante por aquí cerca?

–Hay varios. ¿Quiere comida china, argentina, española o italiana?

–Me gustan los platos argentinos.

Alguien quedó desilusionado de un restaurante por el mal servicio.

3. –¿Qué tal te pareció el restaurante donde cenaste anoche?

   –La comida estaba buena, pero el servicio fue pésimo.

   –Varias personas me han dicho lo mismo./Bueno, no iré más allí.

Alguien pregunta sobre un nuevo restaurante.

4. –¿Adónde fuiste a cenar anoche?

   –A ese restaurante que está cerca del Museo.

   –¿Qué tal es?

   –Muy bueno, aunque un poco caro.

   –¿Cocina [francesa]?

   –De cualquier clase./Te preparan lo que quieras.

Un cliente pide el menú.

5. –El menú, por favor.

   –¿Desea ordenar a la carta, o regular?

   –Quiero una comida completa./Tengo mucho apetito.

6. –¿Tienes hambre, [Juan]?

   –Sí, [María]. Tengo mucha hambre. Veamos el menú.

   –Aquí está.

   –Me gustaría un filete, con papas cocidas, ensalada y café.

   –Para mí lo mismo.

   –Quiero lo mismo.

Alguien habla al camarero de los postres.

7. —¿Qué tiene de postres?

   —Toda clase de frutas: [bananos], [mangos], [fresas], [piña], [manzanas].

   —¿Están dulces [las fresas]?

   —Muy dulces; se (las) recomiendo.

Un señor pide al camarero la comida para él y su acompañante.

8. —¿Puede darme su orden, señor?

   —Sí, la señorita quiere empezar con [un ceviche de camarones] . . . luego [una paella de mariscos] con [una ensalada de lechuga].

   —¿Y usted, señor?

   —Para empezar, [una sopa de ajo], luego [el conejo estofado con papas cocidas] y [una ensalada de espárragos].

   —¿Qué desean tomar?

   —(Una) *botella de vino tinto,* por favor.

cerveza	*café*	*sangría*	*refresco*

Un caballero quiere pastel como postre.

9. —Buenas tardes, señor.

   —Buenas tardes. ¿Qué clase de pasteles tiene?

   —De manzana, piña, melocotón y cereza.

   —Sírvame uno de piña, por favor.

   —¿Y qué le gustaría tomar?

—Una taza de té.

—¿Con limón o leche?

—Con limón, por favor.

—¿Alguna otra cosa, señor?

—La cuenta, por favor. El pastel estaba muy bueno.

—Me alegro que le haya gustado. Los preparamos aquí mismo.

Diálogos espirales

1. —Por favor, tráigame un café.

   —Aquí está.

   —Gracias.

   —Quiero una taza de café, por favor.

   —¿Lo quiere con leche o solo?

   —Con leche, por favor.

   —¿Puede servirme una taza de café, por favor?

   —No hay servicio en las mesas. Tendrá que ir a la barra.

2. —¿Tiene usted hambre?

   —Sí, tengo mucha hambre.

   —Parece cansado. ¿Tiene hambre?

   —No, comí antes de salir de casa.

   —Luce fatigada. Debe de tener hambre. ¿Qué puedo servirle?

—Gracias. Estoy cansada, pero comí antes de salir. Le agradecería una taza de café, si no es mucha molestia.

—De ninguna manera. En realidad, estaba pensando preparar una taza para mí. Creo que tengo pastel de [chocolate] en el refrigerador. ¿Quiere usted?

—Sí, con mucho gusto.

3. —¿Quiere usted un almuerzo especial?

—No, gracias. Tráigame una sopa de [tomate] y un emparedado de [jamón] con pan de centeno.

—¿Algo de beber?

—Una taza de [café], por favor.

—¿Quiere ver la carta o quiere el almuerzo especial?

—¿Qué recomienda hoy el jefe de cocina?

—[Las albóndigas] con [macarrones]. El almuerzo especial de hoy está muy bueno.

—No tengo gran apetito hoy. Un emparedado de [pollo] será suficiente.

—¿Quiere algo de beber con el emparedado?

—Un vaso de [leche]. Por favor, tráigame un vaso de [agua] también.

—Camarero, el menú, por favor.

—Con gusto. Le recomiendo [el asado].

—Gracias, pero no deseo comer carne hoy. Prefiero filete de pescado y una ensalada de tomates.

—¿Y de postre? [El pudín de pan] es excelente.

—Prefiero una manzana asada con crema batida. También tráigame la cuenta.

—Gracias. Aquí está.

—¿Debo pagarle ahora?

—No, páguele al cajero.

visitas, paseos, viajes

Diálogos breves

Un amigo invita a otro a ir de paseo a la granja de su tío.

1. —Mi tío tiene una granja cerca de aquí. ¿Quieres visitarla?

   —Sí, me gustaría.

Dos amigos hablan de su próximo viaje.

2. —¿Cuándo quiere salir para [Tegucigalpa]?

   —*Cuando usted diga. Empecé mis vacaciones el jueves.*

—*Ya tengo empacadas mis maletas.*

Alguien pregunta a otro si piensa ir a la feria.

3. —¿Va usted a la feria?

   —Creo que sí.

   —Podemos ir juntos.

   —Con mucho gusto.

Una persona vuelve a un lugar que no visita desde hace muchos años.

4. —¿Ha estado usted aquí antes?

   —Sí, pero hace mucho tiempo.

   —¿Vivió usted aquí?

   —Sí, tres años, cuando era niño.

Diálogos sostenidos

Alguien habla de su proyecto de viaje.

1. —Salgo de viaje la próxima semana.

   —¡Qué bueno! ¿Por cuánto tiempo?

   —Por cinco días.

   —¿Adónde vas?

   —*A la capital.*

A las montañas. A las cataratas. A la costa.

Alguien sugiere una visita a la catedral.

2. —¿Has ido a ver la catedral?

—No, todavía no.

—Debes ir. Los vitrales son espléndidos.

—Ya me lo han dicho./Espero ir esta tarde.

Un amigo invita a un estudiante a hacer un viaje en automóvil.

3. —Voy en automóvil a [Viña del Mar] el próximo fin de semana. ¿Te gustaría acompañarme?

—Prefiero acompañarte en tu próximo viaje a [Guatemala].

—Eso será dentro de [un mes].

—¡Perfecto! La próxima semana tengo que [estudiar para los exámenes finales].

—¡Buena suerte!

—Gracias. Que disfrutes de [Viña del Mar] y llámame cuando regreses.

Dos personas hablan de una visita a un castillo.

4. —Este castillo fue residencia del [emperador Maximiliano].

—Era, de seguro, una magnífica fortaleza, estando en esa elevada colina.

—Sí, seguro, y cuando entremos veras qué lujo; te encantara(n) *los retratos de personajes importantes.*

las monedas	*los carruajes*	*el vestuario*	*los muebles*

Alguien visita su ciudad natal acompañado de su amigo.

5. –Allí se ve la ciudad, y, si te fijas, puedes ver el río y el valle a la izquierda.

   –¿Fue aquí donde naciste?

   –Sí. La hacienda de mi padre está a [diez] kilómetros a la derecha de la ciudad, al final del valle.

   –El paisaje no tiene igual.

   –Sí, me encanta volver aquí./Antes venía una vez al año.

Dos estudiantes hablan de sus vacaciones de verano.

6. –¿Qué piensas hacer en estas vacaciones?

   –Voy a viajar. ¿Y tú?

   –Voy a [Lima].

   –¿Por qué vas allá?

   –Voy a visitar a unos parientes que no veo desde hace [dos] años./Luego voy a [Arequipa], [Cuzco] y a otros lugares de interés. [En Lima] puedo ver [la Universidad de San Marcos], y encantarme con el contraste entre lo antiguo y lo moderno.

Diálogo espiral

1. –¿Quieres ir a dar un paseo?

   –Sí, me gustaría.

   –El tiempo está muy agradable. ¿Quieres ir a dar un paseo?

   –Sí, creo que será muy agradable.

—Es una tontería quedarse en casa, estando el día tan agradable. ¿Quieres salir a dar un paseo conmigo al parque?

—¡Encantado! ¿Podemos comer a la sombra de los árboles?

—Cómo no. Conozco un lugar en el centro del parque.

—¿A qué hora quieres que nos encontremos?

—¿Por qué no nos vemos a las [doce] en punto a la entrada del parque?

—Bueno, allí estaré sin falta.

2. —¡Veo que te has vestido de domingo!

—Voy a [la feria].

—¿Con quién vas?

—Con mi [madre] y mi [hermana].

—Veo que te has vestido de domingo. ¿Adónde vas?

—Voy a la [feria]. Vamos a estar todo el día allí.

—¿Con quién vas? ¿Con un amigo?

—No, con mi [madre] y mis [primas]. Vamos en automóvil.

—¡Que se diviertan!

—Gracias.

—Veo que te has vestido de domingo. ¿Adónde vas?

—Voy a [la feria]. Espero estar todo el día en la exposición de artesanías y ver el mayor número posible de puestos.

—Estoy seguro que te agradarán. ¿Quién va contigo?

—Mi [madre] y mis [primas]. Vamos en automóvil, porque los autobuses irán atestados.

—Hasta la vista. ¡Que se diviertan!

—Gracias.

3. —Voy a dar una fiesta. ¿Quieres venir?

—Sí, gracias. ¿Cuándo será?

—El próximo [sábado] a las [ocho] en punto.

—Voy a celebrar mi [cumpleaños] el sábado. ¿Puedes venir?

—¡Encantado! ¿A qué hora?

—Ven a las [ocho de la noche].

—Quedan invitados a celebrar el [cumpleaños] de [Jaime] el próximo [sábado].

—¡Qué amable! Gracias. ¿Es una fiesta de sorpresa?

—Sí. Su familia invita a todos sus amigos.

OTROS ASPECTOS DE LA VIDA DIARIA

citas y compromisos

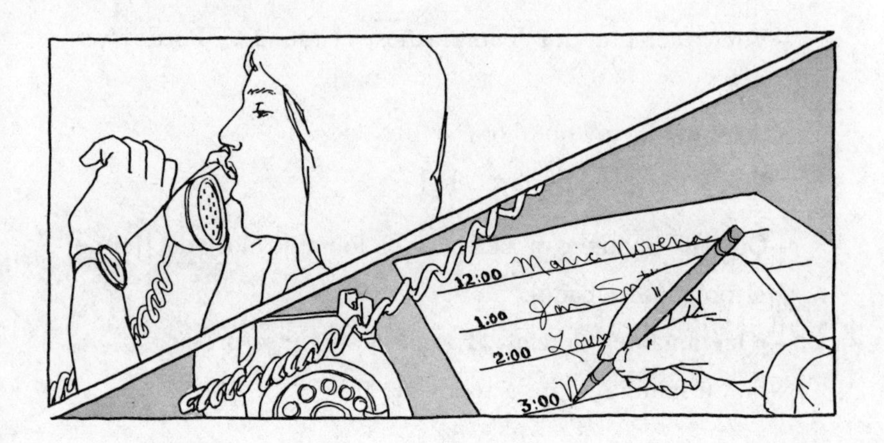

Diálogos breves

Alguien invita a un amigo a cenar.

1. –¿Quieres venir a cenar a casa [esta noche]?

   –Sí, ¡cómo no! Con mucho gusto.

Un paciente desea ver a su dentista.

2. –¿Puedo hacer una cita para ver al [doctor Núñez] el *jueves?*

lunes	*miércoles*	*sábado*	*martes*

   –Sí. Puede venir por la [tarde] a las [siete y media].

Un joven desea visitar a una amiga.

3. —¿Se va pronto de [Buenos Aires], [señorita Gómez]?

   —No. Me quedo hasta *junio.*

enero	*febrero*	*marzo*	*abril*

   —¿Puedo volver a verla?

   —Sí, ¡cómo no! Me agradaría mucho.

Un médico desea volver a ver a un paciente.

4. —Quisiera verlo de nuevo en mi consultorio a las [dos] en punto [mañana]. ¿Es una hora conveniente para usted?

   —No. Lo siento, doctor. Tengo otra cita. ¿Puede ser más tarde?

Se deja un recado para un amigo.

5. —Dígale por favor a [Juan] que me llame a las seis.

   —*Bueno.* Le daré su recado.

Por supuesto.	*Claro.*	*Con todo gusto.*

Diálogo espiral

—¿Puedo pasar?

—Por supuesto.

—¿Puedo pasar? Vengo a ver al [señor Gómez].

—Sí, por supuesto. Veré si está ocupado.

—¿Puedo pasar a ver al [señor Gómez]? Está, ¿verdad?

—Sí, sí está. Veré si está ocupado. Siéntese, por favor.

intercambio de regalos

Diálogos breves

En los diálogos (1-3), se trata de dar y recibir regalos.

1. –¡Qué precioso regalo!

   –*Me alegro que te guste.*

–*Esperaba que te gustara.*

2. –Hola, [María]. Tus *guantes* nuev(o)s son precios(o)s. ¿Te l(o)s regalaron?

zapatos	*aretes*	*brazaletes*	*gafas*

   –Sí. Son un regalo de cumpleaños de mi [tía].

3. –¿Tu esposo y tú intercambian regalos con motivo de vuestros aniversarios de boda?

   –Lo hicimos durante los primeros [cinco] años de matrimonio, pero ahora en vez de eso, vamos al teatro y después a cenar.

Diálogos sostenidos

1. —No sé qué comprarle a [Joaquín] para su cumpleaños.

   —¿Por qué no le compras (una) [corbata]?

   —Le regalé (una) el año pasado.

   —¿Qué tal un libro? ¿Lee mucho?

   —No, pasa gran parte del tiempo mirando la televisión.

   —¿Por qué no le regalas una raqueta de tenis?

   —Él no juega al tenis. Pero quizá encuentre algún otro artículo deportivo que le guste.

2. —¿Cuál es el nombre de la flor que llevas?

   —Es una [orquídea].

   —¿Por qué llevas una [orquídea]? Debe costar un dineral.

   —Cuesta mucho, pero hoy es el día de mi graduación.

   —En ese caso, ¡felicidades!

3. —Estás muy elegante hoy, [María].

   —Es mi cumpleaños.

   —¡Felicidades! ¿Cuántos cumples?

   —[Quince].

   —Es una edad preciosa. ¿Son para ti todas esas tarjetas?

   —Sí. ¿Quieres verlas?

   —Sí. Me gusta leer las tarjetas de felicitación. ¿Vas a tener fiesta?

   —No, pero mis [tíos] y [tías] vienen a cenar esta noche.

días de fiesta

Diálogos breves

Todos los países tienen una fiesta nacional. En estos diálogos (1-8), se habla de los días festivos.

1. –¿Sabes qué se celebra hoy?

   –No. ¿Qué se celebra?

   –Pues, [la Independencia].

2. –Me gusta como celebran ustedes su [Independencia].

   –¿Por qué?

   –Porque hay fuegos artificiales y un gran desfile militar.

3. –Hoy es día de fiesta en mi país.

   –¿Cómo lo celebran?

   –Con bailes, exhibiciones deportivas y carreras de caballos.

4. —¿Qué hará usted en estas vacaciones de Navidad?

—Voy a encerrarme en la biblioteca. Necesito escribir varios ensayos.

5. —Las vacaciones de [Navidad] son dentro de [dos] semanas.

—¡Al fin! Necesito descansar.

6. —¿Qué está haciendo usted?

—Estoy haciendo la cuenta de lo que regalaré en Navidad.

—Pero la Navidad es en diciembre.

—Ya lo sé, pero no quiero olvidar a ninguno de mis amigos. ¿Cuándo preparará usted su lista?

—La voy a hacer ahora mismo.

7. —¿Cómo celebran ustedes el año nuevo?

—Hacemos una gran cena y bailamos.

8. —¿Ha estado alguna vez en un [carnaval]?

—No, aquí no celebramos el [carnaval].

religión

Diálogos breves

Millones de personas en todo el mundo asisten a los servicios religiosos. Los siguientes diálogos (1-4) tratan de este tema.

1. –¿Hay (una) *iglesia* por aquí cerca?

templo	*sinagoga*	*mezquita*	*capilla*

   –Sí, a unas [diez] cuadras de aquí.

2. –¿A qué hora es la misa en esta [iglesia]?

   –Hay una misa cada hora desde [las siete] hasta [las doce] del día, y por la tarde, una a [las seis].

3. –¿Tienen ustedes muchas actividades en sus [templos]?

   –Sí, tenemos muchas. ¿Y ustedes?

   –No. Nosotros vamos allí a rezar únicamente.

4. —¿Se casan en una ceremonia religiosa?

—Sí, pero también celebramos una ceremonia civil, antes del matrimonio religioso.

el gobierno

Diálogos breves

Cada país tiene su forma de gobierno. Aquí se habla de diversas formas.

1. —¿Tienen ustedes un [rey]?

   —No, tenemos un [presidente].

2. —¿Cuándo celebran ustedes las elecciones?

   —El [primer] [domingo] de [julio].

3. —¿Cómo está representado el pueblo en su país?
—Elegimos [diputados] y [senadores]. En conjunto ambos forman [el Congreso].

4. —¿Cree usted que el partido [de Unificación Agraria] tiene probabilidades de triunfo?
—Quizás. Su candidato, [Segundo Gutiérrez], es muy popular y muy buen orador.

5. —¿Cuáles son los temas políticos de actualidad?
—[Aumento de salarios], [corrupción política], [viviendas], [mejores escuelas] y [nacionalización de empresas extranjeras].